혼자 하는 여행
함께하는 여행

글. 사진

김도연 김만금 김미희 김재석 노관섭 서인순 신귀숙 신정미
윤세인 이영숙 이우자 정월보름 최성혁 황경하 손기택

한국지식문화원

혼자 하는 여행
함께하는 여행

발 행 일	2024년 5월 13일
지 은 이	김도연 김만금 김미희 김재석 노관섭 서인순 신귀숙 신정미 윤세인 이영숙 이우자 정월보름 최성혁 황경하 손기택
기 획	김미희
편 집	황경하
디 자 인	이우자
그 림	김명희, 이경우, 이성자, 한인자
발 행 인	권경민
발 행 처	한국지식문화원

출판등록	제 2021-000105호 (2021년 05월 25일)
주 소	서울시 서초구 서운로13 중앙로얄빌딩 B126
대표전화	0507-1467-7884
홈페이지	www.kcbooks.org
이 메 일	admin@kcbooks.org
ISBN	979-11-7190-021-3

발간사

    서울시 성북50플러스센터에서 함께 뜻을 모은 15인의 여행작가가 선물하는 톡톡 튀고 개성 넘치는 여행 이야기 '혼자 하는 여행, 함께하는 여행'이 발간 되었습니다.

    따로, 또 함께 더 빛나는 여행 이야기의 퍼즐을 맞추며 소중한 경험을 공유합니다.

    공동저서 집필을 도전하며 더 큰 모험에 도전할 수 있는 용기를 얻었습니다. 공저에 함께한 작가 모두에게 응원의 박수를 보냅니다. 작가 모두에게 소중한 기회를 만들어주신 성북50플러스 관계자분들께 진심으로 감사의 말씀 드립니다.

권경민
프로젝트 리더
한국지식문화원 대표

TABLE OF CONTENTS

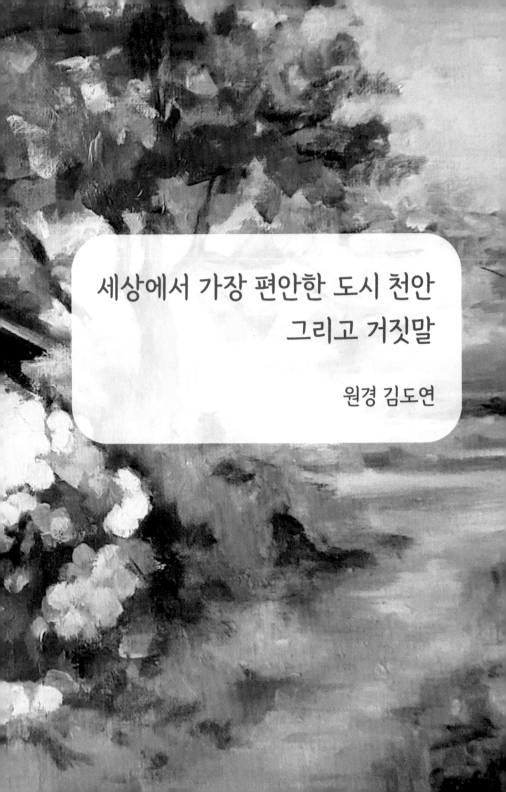

세상에서 가장 편안한 도시 천안
그리고 거짓말

원경 김도연

매주 화요일에 천안 가는
한복 선생님

봄이다

개나리꽃이 도로까지 마중 나와 있고 꽃비가 내리는 아리랑길을 내려와 4호선 전철에 탑승한다. 아직 경로석에 앉을 나이는 안됐지만, 한복을 입고, 두루마기까지 걸치고, 머리를 단정하게 올려 비녀를 꽂은 내 모습을 본 이들은 자리에서 일어나 앉으시라고 양보를 해준다. 처음에는 괜찮다고 손사래를 치기도 했지만, 이런 일들이 다반사로 일어나 이제는 경로석에 가서 당당하게 앉는다.

서울역에 내려서 KTX 타는 곳까지 갈 때는 되도록 계단을 이용한다. 4호선에서 KTX까지 오르는 계단은 길고, 가파르다. 우리나라를 찾는 많은 외국인들도 전철을 이용하기에 계단을 오르다 보면 커다란 캐리어를 끌고 안절부절못하며 내려갈 것을 두려워하는 파란 눈의 아가씨들을 자주 목격한다. 그럴 때면 어김없이 이렇게 말한다. "저스트 모먼트" 파란 눈을 동그랗게 뜨고

날 바라보는 아가씨를 곁에 두고, 걸어오는 건장한 군인 또는 청년을 불러 세워 전철까지 들어주라고 당부한다. 지금껏 단 한 명도 거절하지 않고 기꺼이 들어다 주는 것을 보아왔다. 외국인들은 기뻐하며, 감사의 인사를 하고 가고 그들이 즐겁고 행복한 한국 관람이 되기를 염원한다. 짐을 들어준 청년들에게도 앞날의 축복을 기원한다.

서울역은 언제나 떠나고, 돌아오고, 헤어지고 만나는 이들로 인해 붐비지만, 천안역으로 가는 열차 앞에 서면 그 옛날의 기억이 생생히 떠오른다. 서울에 살던 우리 집에 천안에 살던 고모부가 상경할 때 손에 들려 있던 천안 호두과자 달콤한 팥소에 알알이 박힌 호두가 씹혀지던 그 맛은 유년의 행복했던 한순간으로 각인되어 천안행은 그리웠던 고향의 품으로 돌아가는 따스한 여정이 된다.

천안은 남부지방에서 수도권으로 가기 위해 필수적으로 거치는 곳이다. 대표 철도역은 천안역, 인근 아산시에 천안 아산역과 아산역이 있다. 그리고 수도권 전철 1호선이 다니고 있다. 수도권에 사는 어르신들이 무료로 전철을 타고, 천안에 내려와 독립기념관 갔다가, 점심은 병천순대를 드시고, 디저트로 호두과자를 사서, 온양온천을 즐기고 오는 당일 코스 여행으로 인기가 많다. 살아계실 적, 친정어머니도 친구들과 전철을 타고 가서서 위의 코스대로 당일 여행을 하시곤 했는데, 언젠가 한 번 같이 가자고 약속했었다. 그 약속을 지키지 못하고 어머니는 하늘로 돌아가시고, 혼자서 천안에 매주 화요일에 내려간다.

서울역에서 KTX를 타고 천안 아산역까지 거리는 아주 짧다. 어머니와의 못다 한 약속을 상기시키며 상념에 젖어 들어가기 전에, 45분이면 도착이다. 하늘 아래 가장 편안한 도시 천안에 도착했다.

어르신들을 만나서 치매 예방 교육도 하고, 지나온 이야기도 나누면서 건강하고 행복하게 백 년 청춘을 누리시는 수업을 진행하기 위해서다. 어르신들은 매주 서울에서 내려오는 강사 선생님인 나를 한복 선생님이라고 부른다. 봄꽃처럼 다시 피어나는 어르신들과 매주 만나, 아름답고 슬픈 이야기들을 나누며 건강하게 살 수 있는 방법을 알려주는 나는 한복을 입고 어르신이 된 한복 선생님이다.

엄마의 거짓말
그리고 분홍립스틱

봄꽃은 아름답다

아름다운 꽃을 피우기 위해 긴 겨울의 세찬 비, 바람을 발가벗은 채 맞으며, 차가운 밤에 홀로 울며 새벽을 기다린 끝에 향기로운 꽃 한 송이를 피워 올렸다. 겨울이 지나 봄이 왔다고 마음이나 몸이 봄이 되는 것은 아니다. 모든 어르신은 꽃은 피는데 나는 시드는구나 싶은 마음도 있고, 날은 더욱 지는데 몸은 그보다 더 차가워지는 분도 계신다. 어르신들의 얼굴은 주름이 지고, 마음에도 주름이 져 쉽게 펴지질 않는다.

수업 시간에 유독 말수가 적은 어르신이 계셨다. 딸만 둘이 있는데, 가까이 살고 있는 딸이 갑자기 병에 걸려서 혼자 지내시는 시간이 많아졌다고 했다. 혼자 집에 있으니, TV를 보다가 자고, 일어나서 있는 반찬 꺼내 밥 한술 뜨고, 또 TV를 보고 자고 하는 것을 반복하다 보니 말수가 줄어들었다. 어르신은 첫 수업에서 멍한 표정으로 쳐다보다가 돌아갔다.

다음 수업에는 늦게 들어와서 입구에 엉거주춤 앉으려다 엉덩방아를 찧었다. 그때 얼른 달려가 손을 잡아주었는데, 손끝이 얼음을 만진 것처럼 차가웠다. 자리에 앉혀 드리고 머리 머리 짝짝, 어깨 어깨 짝짝, 허리 허리 짝짝, 흔들어 흔들어 짝짝, 이 율동을 알려드렸다. 다른 어르신들은 잘 따라 하는데, 어리둥절해한다. 차분하게 눈을 맞추고 다시 알려드렸다. 율동도 간단하고, 박수만 치는 것이라서 누구라도 세 번만 따라 하면 할 수 있는 동작이라서 그런지, 제법 잘 따라 하셨다. 어르신은 다음번 수업에는 미리 와서 앉아계셨다. 치매 교육 틈틈이 율동과 박수를 쳐야 한다.

어른이 어르신이 되는 과정을 초등학생이 유아로 회귀하는 과정과 흡사하다. 그러나, 힘들고 괴로웠던 시간을 보내고 수업에 참여한 어르신들의 남은 생을 행복하게 보낼 방법은 여러 가지다.

첫 번째 웃는 것, 만나는 사람마다, 하얀 위의 이를 보여주고 미소를 보낸다.

둘째 욕심을 줄이고 선행을 베푸는 것이다.

셋째는 거짓말을 하지 않는 것이다.

자식이 옷이나, 필요한 물건을 사 오면 필요 없다고 사 오지 말라고 하는 것을, 솔직하게 말해야 한다. 지금 사 온 옷은 내 스타일이 아니니, 돈으로 주거나 상품권으로 달라고 말을 해야 한다. 엄마의 마음속을 자식들은 알지 못한다. 말을 해야지 알 수 있다. 또 한 가지 '언제 죽나'라는 말을 하지 말아야 한다. 말은 죽고 싶다, 왜 하늘은 나를 안 데려가나 하고 말하면서, 행동은 그렇지 않다. 아프면 약을 사 먹고, 힘이 들면 자식에게 전화를 걸어 신세 한탄을 하는 어르신이 계신다.

　백 년 청춘 시대에 백 살을 사는 것은 당연하다. 살아가는 날까지 건강을 지키는 것은 스스로 해야 한다. 잘 먹고, 잘 씻고, 잘 웃고, 잘 말해야 한다. 아들딸이 전화 오면 고맙다, 사랑한다, 너를 위해 기도한다, 안전운전 해라, 엄마는 아주 잘 지낸다. 이 말은 백 세 시대에 필수언어다. 수업에 참여했던 어르신들이 하나둘씩 립스틱을 바르고 나오시기 시작했다. 오늘 수업에는 분홍색 진달래 빛을 한 아름다운 어르신들이 활짝 웃고 있다.

너는 내 운명

봄꽃이 지고 있다

긴 시간을 인내한 꽃송이는 봄비에 분분하게 떨어져 날린다. 수업 시간에 항상 늦게 오는 어르신이 계신다. 처음에는 전화도 걸고, 시간을 알려주어도 계속 늦게 오신다. 늦게 오셔도 어르신은 조용하게 들어와 수업에 지장을 주지 않고 차분하게 참여하신다. 얼굴은 깨끗하지만, 세월의 주름이 깊은 선을 그어 놓았는데 선은 아름답고 등은 협곡처럼 굽어있다.

어르신은 열여덟 꽃다운 나이에 한동네에 사는 오빠 친구를 만나서 결혼을 했다고 한다. 누구나 그러하듯이 1960년도의 한국의 생활상은 힘이 들고 또 힘든 생활의 연속이었다. 어르신의 남편은 1970년대 사우디로 가서 약 7년 동안 열악한 환경에서 일했다고 한다. 가난하고 나라가 위태로웠지만 가족을 먹여 살려야 한다는 일념으로 돈을 벌어 한국으로 보냈다. 어르신은 남편이 보내온 돈을 보고 울면서 세 명의 자녀를 키우고, 알뜰하게 저축하여 집까지 장만했다고 한다.

그 뜨거운 나라에서 등짝이 벗겨지도록 일하는 남편을 생각하면 한 푼도 허투루 쓸 수가 없었다고 한다. 옆집 여자, 윗동네 여자들이 춤을 추러 가고, 도박을 하고, 바람이 나서 야반도주하는 것을 보면서, 더욱 허리띠를 졸라매며 하늘을 보며 남편이 몸 성히 돌아오기만을 기다렸단다.

　어르신의 간절한 기도를 하늘이 들어 주었는지 몸 성히 돌아온 남편과 농사를 짓고, 젖소 농장도 하면서, 가난에서 탈피하여 세 자녀를 대학도 보내고, 결혼도 시키고 안정되게 살게 되었다. 두 내외가 아무런 걱정 없이 살게 됐을 무렵 화장실에 들어간 남편이 부르는 소리에 가보니, 쓰러진 채 몸을 가누질 못하는 걸 보고 119를 불러 응급실로 갔다.

　화장실에서 쓰러졌을 때 머리에서 피가 나고 뇌졸중이 온 것이다. 중환자실에 입원 후 요양병원으로 옮기게 되었다. 마침 작은 딸이 간호사로 있는 병원으로 가게 되어 매일 같이 면회를 하며 남편이 차도가 있기를 기도했다고 한다. 의식을 찾은 후로 사람을 알아볼 수 있으나 말은 어눌하고, 몸은 움직일 수 없게 되었다. 자식들은 요양원으로 모시자고, 엄마가 힘들어서 할 수 없다고 만류했지만, 요양원은 절대 보낼 수 없다며 집으로 모시고 왔다.

　여든이 훨씬 넘은 나이에 매일 하루 세 끼를, 반찬을 달리해서 밥을 해주신다고 한다. 매일 수업에 늦는 이유가 한쪽이 마비되어 혼자 식사하기 힘들어, 밥을 먹여 주고, 설거지도 해 놓고 오느라고 그렇단다. "힘드시죠?"하고 말하자 어르신이 말했다. "아니요, 힘이 드는 게 아니고 밥 먹는 걸 보면, 불쌍해요." 어르신의 말에 모두가 눈시울이 붉어졌다.

매일 시래깃국을 찾아서 시래기를 종종 종종 썰어서 국을 끓이면 잘 드시는데, 자꾸 흘린단다. 그래서 슬프고, 가엽다고 한다. 일평생, 가족을 위해 헌신한 남자가 이제는 움직일 수도 없고, 누워만 있는 것을 보고 있으면 눈물이 난다고 한다. 그래도, 큰딸이 와서 아버지를 목욕시켜 주고 작은딸은 반찬을 해오고, 아들도 가끔 들여다보고 해서, 힘이 된다고 한다. 봄꽃이 지듯이, 어르신의 인생이 이렇게 아름답고 슬프게 이어지고 있다. 운명에 맞서서 인생을 살아오신 세상의 모든 어르신께 이 찬란한 봄을 바치고 싶다.

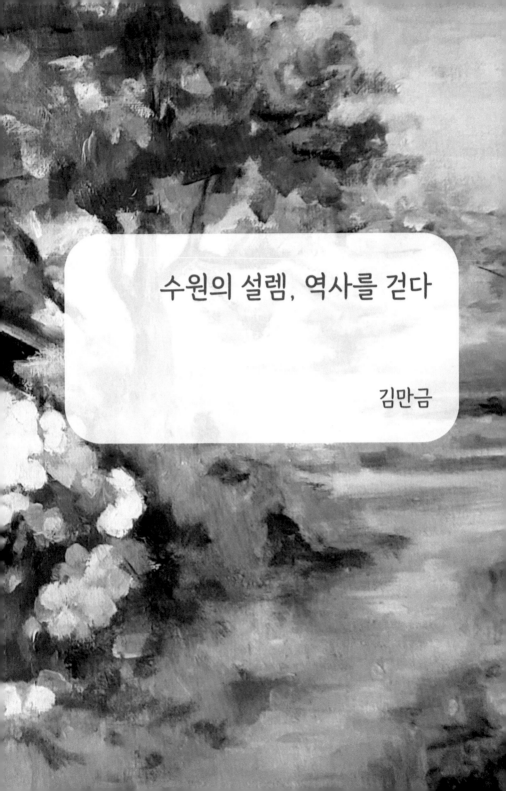

수원의 설렘, 역사를 걷다

김만금

수원의 매력과 역사적 배경 소개

수원은 한국의 중요한 역사적인 도시로, 조선 왕조 시대부터 궁중 수도로 사용되었다. 조선 왕실의 중심지로서 궁전과 정원 등이 지어졌으며, 이러한 역사적인 흔적들은 오늘날까지도 보존되어 있다. 또한, 경기도의 중심에 위치하여 교통의 중요한 요지로서의 역할을 해왔다. 특히, 수원은 수도권과 광역시를 연결하는 중요한 교통망의 중심지로서 그 역할을 계속하여 발전시켜 오고 있다. 이러한 역사적인 중요성뿐만 아니라 지리적 위치의 이점도 있어 수원은 한국의 중요한 도시로 자리매김하게 되었다.

더불어, 경제적으로 번창한 지역으로서 한국의 정치와 경제에도 상당한 영향을 미치고 있다. 특히, 최근 몇십 년간 IT 산업의 발전과 함께 수원은 한국의 IT 중심지로 부상하였다. 많은 IT 기업들이 수원에 본사를 두고 있으며, 이로 인해 도시의 경제적 활성화가 이루어지고 있다. 수원은 전통과 현대의 조화로움을 잘 보여주는 도시로서, 역사적인 유적지와 현대적인 도시의 모습이 공존하고 있다. 관광객들은 수원을 방문하여 한국의 고유한 문화와 역사를 체험할 뿐만 아니라, 현대적인 발전과 산업화의 모습도 감상할 수 있다. 이처럼 다채로운 매력을 지니고 있는 수원은 많은 이들의 관심과 사랑을 받고 있으며, 한국의 대표적인 도시로 손꼽히고 있다.

　팔달문은 조선왕조 시대에 수원을 둘러싸고 있는 팔달(8개 문) 중 하나로서 도시를 방어하기 위해 건립되었다. 이 문은 수원의 중심부에 위치하고 있어 왕실과 도시의 중요한 출입구로 활용되었으며, 조선시대의 궁중 문화와 역사를 엿볼 수 있는 곳으로서 큰 의미를 지니고 있다.

　장안문은 팔달문과 함께 조선왕조 시대에 건립된 문으로, 왕실의 안전을 지키고 왕실과 도시를 연결하는 역할을 수행했다. 이 문은 조선시대의 전통적인 건축양식과 문화를 보존하고 있는 문화유산으로서 중요한 가치를 지니고 있다. 또한, 장안문 주변에는 전통적인 시장과 문화적인 장소들이 많이 있어 관광객들에게 다양한 경험을 제공하고 있다.

마지막으로, 화성행궁은 조선 왕실의 휴양지로 사용되었던 궁궐로서, 왕실의 생활과 문화를 엿볼 수 있는 곳으로서의 역할을 하고 있다. 이 궁궐은 조선시대의 건축양식과 정원이 아름답게 보존되어 있으며, 관광객들에게 역사와 문화를 체험할 수 있는 소중한 장소로 알려져 있다.

이렇듯, 팔달문, 장안문, 화성행궁은 수원의 역사적 중요성을 대표하는 곳으로서 그 가치가 높다. 이들은 수원의 역사와 문화를 체험하고 이해하는 데에 중요한 역할을 하고 있으며, 관광객들에게도 매력적인 명소로 알려져 있는 시 중 하나로 손꼽히고 있다.

수원의 문화유산에는 팔달문, 장안문, 화성행궁을 비롯한 다양한 유적지가 포함되어 있다. 이들은 조선시대 왕실의 흔적을 간직하고 있으며, 수원의 역사와 문화를 체험할 수 있는 소중한 장소로서 관광객들에게 많은 인기를 끌고 있다. 또한, 수원의 문화유산은 예술 작품들을 보존하고 있어, 한국의 전통문화와 예술을 경험하고 이해하는 데에 큰 도움이 된다.

뿐만 아니라, 수원은 전통적인 문화와 함께 현대적인 예술과 문화도 함께 공존하고 있다. 도시 내에는 다양한 문화 시설과 예술 공간이 있어 관광객들에게 다채로운 문화 경험을 제공하고 있다. 또한, 수원은 전통적인 한국의 문화와 국제적인 문화를 접목시킨 다양한 행사와 축제를 개최하여 관광객들에게 새로운 문화적 경험을 제공하고 있다.

수원의 문화유산은 오랜 세월 동안 수호되어 온 소중한 유산으로서, 현재와 미래의 세대에게도 중요한 가치를 전달하고 있다. 이들은 수원의 아름다움과 역사를 체험할 수 있는 장소로서 관광객들에게 큰 만족감을 줄 것으로 기대된다. 따라서, 수원의 문화유산은 이 도시를 방문하는 이들에게 깊은 인상을 남길 것이다.

팔달문과 장안문
역사와 아름다움의 만남

팔달문과 장안문은 수원의 중요한 역사적 유산으로, 각각의 건축물 구조와 역사적 배경은 이 도시의 역사와 아름다움을 함께 보여주고 있다.

팔달문은 조선 왕실의 안전을 지키고 도시를 방어하기 위해 중요한 역할을 했다. 팔달문은 조선시대의 전통적인 건축양식을 따르고 있으며, 그 구조와 디자인은 당시의 건축 기술과 예술성을 보여주고 있다. 높은 석조로 만들어진 문주는 안정감을 주며, 문 위에는 흥미로운 장식물이 있어 조선시대의 뛰어난 조각 기술을 엿볼 수 있다. 또한, 팔달문 주변에는 조선 왕실의 궁궐이 자리하고 있어 왕실의 중요성을 상징하고 있다.

장안문은 수원성의 북쪽 정문인데 왕실의 중요한 출입구로 사용되었다. 장안문의 건축물 구조는 팔달문과 유사하게 조선시대의 전통적인 건축양식을 따르고 있으며, 그 아름다움과 역사적 가치를 함께 보여주고 있다. 또한, 장안문 주변에는 전통적인 시장과 문화적인 장소들이 많이 있어, 관광객들에게 다양한 경험을 제공하고 있다. 특히, 장안문 근처에는 전통 한옥과 독특한 가게들이 있어 수원의 전통문화를 체험할 수 있는 곳으로서 많은 이들에게 사랑받고 있다.

이러한 팔달문과 장안문은 수원의 역사적 중요성과 아름다움을 함께 대표하는 문화유산이다. 이들은 수원을 방문하는 관광객들에게 깊은 감동과 추억을 선사하는 곳으로서, 이 도시의 역사와 문화를 체험할 수 있는 소중한 장소로 자리매김한다. 따라서, 팔달문과 장안문은 수원을 대표하는 상징적인 명소로서 이 도시의 아름다움과 역사를 널리 알리고 있으며, 이들의 아름다움과 역사적 가치는 계속해서 전해져야 할 소중한 유산이다.

팔달문과 장안문은 수원의 중심부에 위치하고 있어서 주변 지역과의 관련성이 매우 깊다. 이 두 문은 수원성의 주요 출입구로서 수원시의 중심지를 보호하고 왕실의 안전을 담보하는 역할을 하였다. 주변 지역과의 관련성을 설명하기 위해서는 먼저, 수원성과 팔달문, 장안문이 어떻게 조성되어 왔는지에 대한 역사적 배경을 살펴볼 필요가 있다.

조선 왕조 시대에 수원은 왕실의 휴양지로 활용되면서 중요한 도시로 발전하였다. 이때 수원성이 건설되었고 왕실의 중요한 건물과 정원들을 둘러싸고 있어 왕실의 안전을 지키는 중요한 역할을 하였다. 이러한 성과 문들은 수원시와 주변 지역 사이의 연결고리 역할을 하였으며, 동시에 주변 지역과의 교류와 발전을 촉진하였다.

주변 지역과의 관련성은 역사적 사건과의 연관성을 통해 더욱 명확하게 드러난다. 수원은 조선 왕실의 중심지로서 다양한 역사적 사건들의 배경이 되었다. 특히, 임진왜란 시기에는 수원성이 많은 전투와 갈등의 장소로 사용되었으며, 팔달문과 장안문은 이때의 전투와 갈등에서 중요한 역할을 하였다. 또한, 근대사에 이르러서는 수원이 경기도의 중심 도시로 발전하면서 주변 지역과의 경제적, 문화적 교류가 활발해졌다. 이러한 역사적 사건들은 팔달문과 장안문과의 관련성을 더욱 부각시키고 있다.

또한, 팔달문과 장안문 주변에는 다양한 문화유산과 관광 명소들이 위치하고 있다. 이들은 수원의 역사와 문화를 더욱 다채롭게 체험할 수 있는 곳으로서, 팔달문과 장안문과의 관련성을 더욱 강화시키고 있다.

따라서, 팔달문과 장안문은 수원시와 주변 지역 사이의 중요한 연결고리로서 역사적, 문화적 가치를 함께 공유하고 있으며, 이를 통해 수원의 역사와 아름다움을 보다 풍부하게 경험할 수 있다.

팔달문과 장안문은 수원을 대표하는 역사적인 유산으로, 관광객을 위한 주요 관광 포인트와 안내를 상세히 살펴본다.

먼저, 팔달문은 조선 왕조 시대에 건립된 문으로, 수원성의 남쪽 정문으로 사용되었다. 이 문은 조선 왕실의 안전을 지키고 도시를 방어하기 위해 중요한 역할을 했다. 관광객들이 팔달문을 방문할 때 가장 먼저 눈에 띄는 것은 그 아름다운 석조 건물이다. 문 주변에는 조선시대의 전통적인 건축양식을 간직한 성곽과 함께 조성된 공원이 있어 산책을 즐길 수 있다. 또한, 팔달문 근처에는 수원 화성과 수원향교 등의 관광 명소들이 있어 방문객들에게 다양한 관광 체험을 제공한다.

장안문 역시 조선 왕조 시대에 건립된 문으로, 수원성의 북쪽 정문으로 사용되었다. 장안문 주변에는 전통 한옥과 문화적인 장소들이 많이 있어 관광객들에게 특별한 경험을 선사한다. 예를 들어, 장안문 근처에는 수원 중앙도서관과 수원향교 등이 있어 역사와 문화를 함께 체험할 수 있다. 또한, 장안문 근처에는 전통 시장과 현대적인 상업시설들이 함께 위치해 있어 쇼핑과 식도락을 즐길 수 있다.

팔달문과 장안문을 관광하기 위해서는 몇 가지 주의사항이 있다. 먼저, 문화유산을 존중하고 보호하기 위해 방문객들은 소음을 최소화하고 쓰레기를 깨끗하게 처리해야 한다. 관광지 근처에는 주차장이 제한되어 있으니, 대중교통을 이용하는 것이 좋다. 또한, 관광 시간과 입장료 등의 정보는 사전에 확인하여 여행 일정을 계획한다. 마지막으로, 가이드 투어나 오디오 가이드 서비스를 이용하여 관광지의 역사와 관련된 자세한 정보를 얻는 것이 좋다.

  이와 같이, 팔달문과 장안문은 수원을 대표하는 역사적인 유산이자 관광 명소로서 다양한 경험과 풍경을 제공하고 있다. 방문객들은 이곳에서 수원의 역사와 아름다움을 함께 체험할 수 있으며, 안전하고 편리한 관광을 위해 주의사항을 준수하는 것이 중요하다.

화성행궁
고즈넉한 휴양지와 역사적인 이야기

화성행궁은 조선 왕실의 휴양지로 사용된 궁궐로, 수원시의 대표적인 문화유산이다. 이곳은 조선 왕실의 중요한 건물과 정원으로 구성되어 있으며, 그 아름다움과 역사적 가치가 높다. 조선왕조의 휴양지로 사용된 이유는 주변 자연환경이 우수하고, 서울에서 가까운 거리에 위치해 휴식과 왕실의 중요한 행사를 위한 공간으로 사용되었기 때문이다.

화성행궁은 조선시대 왕실의 중요한 역사와 문화를 보존하고 있다. 이 궁궐은 조선왕조의 건축양식을 잘 보존한 건물들로 구성되어 있어서 당시의 건축 기술과 예술성을 엿볼 수 있다. 석조로 지어진 건물과 아름다운 정원이 조화롭게 어우러져 있어 방문객들에게 아름다운 풍경을 선사한다. 또한, 화성행궁 주변에는 전통 시장과 한옥 마을이 자리해 있어 수원의 전통문화를 경험할 수 있는 기회를 제공한다.

이곳을 방문하는 관광객들은 수원시의 역사와 문화를 체험할 수 있다. 궁궐 내부에는 국립수원박물관이 자리하고 있어서 수원의 역사와 문화에 대해 더 깊이 이해할 수 있다. 화성행궁은 수원시의 중요한 역사적 유산이며, 관광객들에게 휴식과 여유를 제공하는 곳으로서 큰 중요성을 가지고 있다. 이곳을 방문하는 관광객들은 수원의 역사와 아름다움을 함께 체험할 수 있으며, 안전하고 편안한 여행을 즐길 수 있다.

　화성행궁은 조선 왕실의 중요한 건축물과 아름다운 정원으로 이루어진 궁궐로, 그 주요 건물과 정원의 특징은 이 궁궐의 아름다움과 역사적 가치를 더욱 돋보이게 한다. 먼저, 궁궐 내부에는 다양한 건물들이 위치하고 있다. 대표적으로는 대전전과 후원, 인정전, 세자방 등이 있다. 이들 건물은 조선왕조의 건축양식을 잘 보존하고 있으며, 그 아름다움과 역사적 가치를 함께 전한다. 대전전은 화성행궁의 중심부에 위치한 건물로, 왕실의 중요한 행사와 의식이 열리는 장소로 사용되었다. 후원은 궁궐의 주요 정원으로서, 아름다운 풍경과 식물들이 자리하고 있어 방문객들에게 휴식과 여유를 제공한다.

또한, 화성행궁의 정원은 그 아름다움으로 유명하다. 정원은 조선시대의 전통적인 정원 양식을 따르고 있으며, 각종 수목과 꽃들이 아름다운 풍경을 만들어내고 있다. 특히, 봄에는 벚꽃이 만개하여 화려한 꽃구경을 즐길 수 있으며, 가을에는 단풍이 물들어 아름다운 풍경을 연출한다. 또한, 정원 내부에는 작은 연못과 돌다리가 있어서 분위기 있는 풍경을 만들어낸다. 이러한 궁궐 내부의 건물과 정원은 수원의 역사와 문화를 체험할 수 있는 소중한 장소로서, 많은 방문객들에게 사랑받고 있다.

화성행궁을 관광할 때는 관광 시간을 고려해야 한다. 먼저, 화성행궁은 조선 왕실의 중요한 유산으로서 많은 관광객들이 찾는 장소이다. 따라서, 궁내에는 많은 관광객들이 몰리는 경우가 많으므로 사전에 관광 시간을 확인하여 혼잡을 피하는 것이 좋다. 또한, 화성행궁은 역사적인 건축물과 정원이 많아서 관광하기에 시간이 오래 걸릴 수 있으므로 충분한 시간을 확보하는 것이 중요하다.

또한, 화성행궁을 관광할 때는 몇 가지 주의사항을 지켜야 한다. 먼저, 궁내에는 역사적인 유산이 보존되어 있으므로 관광객들은 조용하고 예의 바르게 행동해야 한다. 또한, 건축물과 정원을 보호하기 위해 쓰레기를 올바르게 처리하고, 안내판에 명시된 규칙을 준수해야 한다. 또한, 날씨에 따라 궁내의 바닥이 미끄러울 수 있으므로 안전에 주의해야 한다.

마지막으로, 가이드 투어는 화성행궁을 관광하는 데 있어서 매우 유용한 도구이다. 가이드 투어는 궁내의 역사적인 건축물과 정원에 대한 정보를 제공해주며, 관광객들에게 보다 깊은 이해와 경험을 제공한다. 가이드 투어는 궁내의 주요 관광 포인트를 놓치지 않고 효율적으로 관람할 수 있도록 도와준다. 화성행궁을 방문하는 관광객들은 가이드 투어를 이용하여 수원의 역사와 아름다움을 보다 풍부하게 경험할 수 있다.

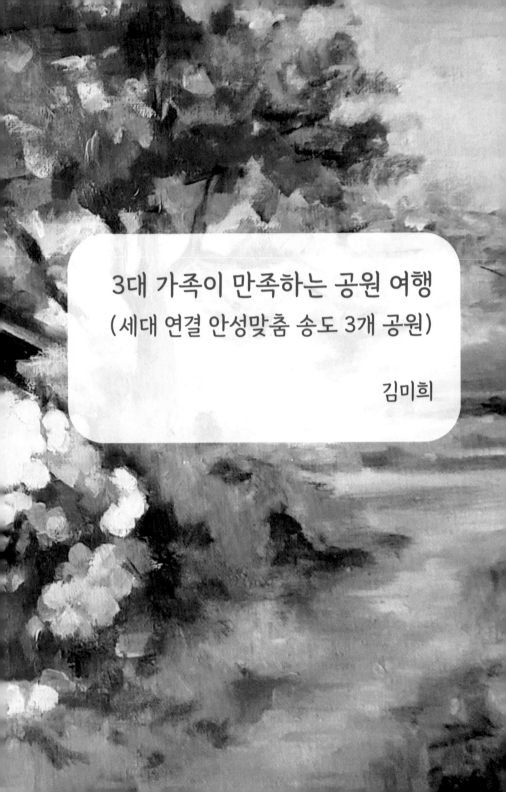

3대 가족이 만족하는 공원 여행
(세대 연결 안성맞춤 송도 3개 공원)

김미희

3대 가족의 나들이 명소

매일 바쁜 삶을 살다 보니 지하 주차장만이 나의 출퇴근 길을 반겼었다. 퇴직하고 자유를 얻게 되니 가장 먼저 '무엇을 할까?' 생각했다. 그때 바로 떠오른 것은 여행이었다. 많은 사람의 로망인 여행. 다른 사람들이 사무실에서 일할 때 유유자적하게 여행하는 삶을 나도 해보고 싶었다. 나는 여행할 때 목적지만을 가는 것을 여행으로 생각하지 않는다. 비록 목적지를 다 가지 않았더라도 상황에 따라 유연하게 여행지를 변경하기도 하는 것을 선호한다. 여행 그 자체가 목적이기 때문이다.

'어떤 여행부터 시작할까?' 생각했다. 송도로 이사 온 지 15년이 되었지만, 집 근처의 멋진 공원들조차 가지 못했던 것이 아쉬웠다. 그래서 한낮의 햇빛을 맞으며 거닐 수 있는 집 근처의 공원을 찾아다니기로 했다. 우선 집에서 가까운 공원부터 시작하여 송도의 많은 공원을 하나씩 탐방했다. 공원을 다니다 보니 어머니와 어린 손녀도 함께 오면 좋겠다는 생각이 들었다.

아이들이 어렸을 때 어머님과 아이들이 함께 여행을 갈 때는 어디로 가야 할지 고민이 많았다. 어머니와 아이들이 원하는 곳이 달라 즐거운 여행이 아닌 괴로운 여행이 되는 경우가 있었다. 3대가 여행할 때는 살펴봐야 할 것이 많다. 특히 먼 곳으로 갈 경우는 신경 써야 할 것이 하나둘이 아니다. 가족의 건강 상태나 원하는 것이 무엇인지 세심하게 신경 써야 한다. 그래야 여행 후 힘든 일을 피할 수 있다.

인천 송도국제도시는 1994년 송도 앞 갯벌을 메워 만들었다. 처음 송도 앞 갯벌을 메워 땅을 만든다고 했을 때 믿기지 않았었다. 그래서 처음 아파트들이 지어질 때 송도로 들어올 생각조차 하지 않았었다. 지금은 20만 명이 넘는 인구가 살고 있다. 송도에 사는 사람들의 만족도는 높다. 다른 어느 곳보다 살기 좋다. 살기 좋은 이유 중 하나가 바로 가까이에 있는 공원이다.

송도에는 현재 다른 지역에 비해 많은 44개의 공원이 있다. 공원 녹지 비율이 33%로 수도권에 있는 도시 중 가장 많다. 집 앞을 나서면 바로 공원이 있다. 공원 하나하나 개성 있게 조성되어 많은 사람이 찾는다. 특히 근처의 공원을 이용하면 아이, 부모, 조부모까지 3대가 함께 행복한 시간을 보낼 수 있다.

근처 공원을 이용하면 좋은 점을 구체적으로 살펴보자

첫째, 신체 활동을 증진한다.
공원에서 산책, 놀이기구 이용, 공놀이 등 다양한 신체 활동을 함께 할 수 있다. 이는 모든 연령대를 건강하게 한다. 특히 아이들의 에너지를 발산하는 데 도움이 된다.

둘째, 정서적 유대를 강화한다.

자연 속에서 함께 시간을 보내면 서로에 대한 이해와 친밀감이 증가한다. 할아버지가 손주들에게 어릴 적 공원에서 놀던 이야기를 들려주면, 가족 간의 유대를 깊게 하며 서로에 대해 존중하게 된다.

셋째, 스트레스를 해소한다.

사계절을 뚜렷이 볼 수 있는 공원의 자연과 신선한 공기는, 일상의 스트레스에서 벗어나 휴식을 제공한다. 특히 바쁜 하루하루를 보낸 가족은 자연 속에서 긴장을 풀고 재충전의 시간을 갖는다. 자연과 함께하는 시간은 스트레스를 감소시키고 정신 건강을 개선하는 데 도움이 된다. 성인뿐만 아니라 아이들과 노인에게도 마음의 평화를 준다.

넷째, 교육적 경험을 제공한다.

공원은 아이들에게 자연과 환경에 대해 배우게 한다. 식물, 동물, 계절의 변화 등을 관찰하며 학습할 수 있다. 아이들은 공원에서 볼 수 있는 생물에 대해 부모님께 들으며 자연에 대한 호기심을 갖는다.

다섯째, 저렴한 여가 활동이다.

공원 이용은 비용이 들지 않아 경제적이다. 자주 방문할 수 있으며, 특별한 준비 없이도 부담 없이 즐길 수 있는 활동이 많다.

송도에서 가장 대표적인 공원은 센트럴파크다. 주변이 아파트로 둘러싸여 있고 수로에서 보트도 탄다. 어디에서 사진을 찍어도 명소가 되는 곳이다. 많은 곳에서 많은 사람이 오기에 늘 북적인다.

그래서 북적이지 않고 조용하게 가족들과의 시간을 즐기기를 원한다면 글로벌파크, 누리공원, 미추홀공원을 추천한다.

글로벌파크, 누리공원, 미추홀공원은 교통편도 좋다. 전철역이나 버스정류장에서 가깝다. 송도 현대프리미엄아울렛이 있는 테크노파크역 2번 출구에서 5분 이내에 있다. 이 공원들은 새로운 가족 나들이 명소로 자리매김하고 있다. 아기부터 할아버지, 할머니까지 모든 세대가 함께 즐길 수 있는 이상적인 장소다. 복합레저공간으로 주변에 놀거리, 먹거리, 볼거리 등이 넘쳐나는 곳이다.

육교로 연결된 세 공원, 글로벌파크, 누리공원, 미추홀공원은 각기 다른 매력을 가지고 있다. 이 세 공원을 연결하는 육교는 단순한 통행 수단이 아닌, 가족 간의 교감과 소통을 돕는 중요한 역할을 한다. 공원에서의 대화는 가족 간의 이해와 공감을 높이며, 세대 간 소통의 중요성을 일깨운다. 육교 위에서 바라보는 송도 경치는 가족 모두에게 잊지 못할 추억을 선사한다.

글로벌파크, 누리공원, 미추홀공원의 매력

글로벌파크, 누리공원, 미추홀공원은 육교로 연결되어 횡단보도에서 기다리지 않아도 된다. 인천 도시철도 1호선 테크노파크역(송도 현대프리미엄아울렛) 근처다. 글로벌파크부터 시작해서 한 걸음 한 걸음 걷다 보면, 길 건너 누리공원이 보인다. 누리공원으로 가는 육교가 있어 멈추지 않고 그대로 누리공원까지 하늘바람을 맞으며 건널 수 있다. 누리공원 끝자락에 서면 또다시 예쁜 육교를 건너 미추홀공원까지 갈 수 있다. 걸어서 40분이면 모든 공원을 만날 수 있다. 근처에 쇼핑몰, 음식점, 영화관 등이 있어 다양한 먹거리, 볼거리, 놀거리가 있다.

1. 아이들의 호기심을 자극하는 글로벌파크(송도문화로 120번길 12)

글로벌파크는 어린이 놀이시설, 체육시설, 물놀이 시설, 카페테리아, 북카페, 인공폭포와 정자, 작은 인공호수 등이 있다. 다양한 여가생활을 즐길 수 있는 복합 문화레저 공간이다. 특히 어린아이들이 안전하게 놀기에 좋은 놀이시설이 많다. 기차 모양, 벌레 모양 놀이터, 아이들의 모험심을 자극하는 놀이터, 작은 아이들도 탈 수 있는 아기 미끄럼틀이 있다. 아이들의 재잘거리는 소리와 운동을 하며 외치는 힘찬 소리가 들리곤 한다. 부모나 할아버지 할머니들이 어린아이들을 많이 데리고 오는 이유다.

4월~10월에는 넓은 잔디밭에 그늘막을 설치하여 더위를 피할 수 있고, 잔디밭에서 신나게 뛰어놀 수 있다. 북카페와 카페테리아에서 책을 읽고 차를 마시며 여유로운 시간을 보낼 수 있다. 더운 여름에 시원하게 즐길 수 있는 분수 놀이터도 있어, 아이들이 가장 좋아한다. 주변에 연세대 국제캠퍼스, 한국뉴욕주립대, 조지메이슨대, 글로벌 캠퍼스가 있어 청소년들에게 동기부여 할 수 있는 곳이다. 주차는 무료이며 물놀이터 주차장과 글로벌파크 4지구 풋살장 주차장을 이용할 수 있다.

〈어린이 놀이시설〉

2. 도심 속의 한국식 정원 누리공원(송도문화로 20)

누리공원은 송도국제도시의 중심에 위치해 대중교통을 이용해 쉽게 방문할 수 있다. 인천테크노파크역(송도 현대프리미엄아울렛)에서 300M 정도의 거리에 있다. 주변에는 쇼핑몰, 음식점, 카페 등 다양한 편의시설이 있다. 하루 종일 공원과 주변 지역에서 다양한 활동을 즐길 수 있다.

누리공원은 한국 전통 정원으로 조성되었다. 곳곳에 한국적인 정원이 보인다. 울창하지는 않지만, 다양한 나무들이 많이 심겨있다. 한국적인 담장 곁에 대나무숲이 꾸며져 있고, 정자와 작은 연못이 있다. 현대식 건물이 뒤에 있어 도심 속의 고즈넉한 풍경을 느낄 수 있다. 주변 아파트와 바로 연결되어 있어 지역 주민이 내 정원처럼 산책한다. 이러한 자연환경은 계절마다 다양한 풍경을 제공하며, 봄의 꽃, 여름의 푸르름, 가을의 단풍, 겨울의 고요함을 느낄 수 있다.

곳곳에 운동할 수 있는 기구도 있어 자유롭게 운동할 수 있다. 공원 내에 설치된 산책로와 자전거 도로는 건강한 생활을 추구하는 이들에게 안성맞춤인 운동 공간을 제공한다. 이 공원은 또한 교육적 가치가 높은 곳이기도 하다. 다양한 식물 종을 관찰할 수 있고 생태연못은 자연학습의 장으로 활용된다. 어린이들과 성인들 모두에게 생태계에 대한 이해와 환경 보호의 중요성을 일깨워 준다.

누리공원에는 기와집으로 지어진 작고 예쁜 도서관이 보는 이들의 눈길을 사로잡는다. 카페 같은 누리공원의 작은 도서관 개관 시간은 화~토요일(10시~18시)이다. 법정 공휴일은 휴관한다. 카페 같은 도서관에서 책을 읽다 보면 언제 시간이 가는지 모르게 하루가 지나간다. 따로 마련된 주차장이 없으나 송도 현대프리미엄아울렛 주차장이나 글로벌파크 주차장을 이용하면 된다.

〈누리공원 작은 도서관〉

3. 과거와 현재가 이어지는 미추홀공원(해송로 59)

송도 미추홀공원은 인천 송도의 중심에 있다. 비류 건국 신화를 주제로 한 미추홀 왕국의 역사적 상징성을 구현했다. 누각과 방지, 12지신 등의 전통 건축물 및 조형물을 통해 도심 속에서 자연과 함께 우리 고유의 문화를 느낄 수 있다. 갯벌문화관, 수변 데크, 다례원, 초정과 정자가 있다. 도시의 번잡함에서 벗어나 자연과 함께할 수 있는 이상적인 장소다. 다양한 식물과 넓은 녹지 공간, 그리고 아름다운 수변 경관 속에서 휴식과 여가를 즐길 수 있다.

미추홀공원의 주요 특징 중 하나는 자연과 조화를 이루는 디자인이다. 이곳의 조경은 자연을 가까이에서 체험할 수 있도록 설계되었으며, 계절마다 다른 아름다움을 선사한다. 봄에는 벚꽃 등 만개하는 꽃들이, 가을에는 물든 단풍이 공원 전체를 아름다운 색채로 물들인다.

공원 내에는 산책로, 조깅 트랙, 그리고 아이들을 위한 놀이터 등 여러 시설이 마련되어 있다. 특히 대형놀이터가 있어 아이들이 좋아하며, 모든 연령대가 즐길 수 있다. 산책로는 흙길로 되어 있어 흙 밟으며 걷기를 하는 사람들이 많이 찾는다. 또한, 벤치와 휴식 공간이 곳곳에 설치되어 있어, 사람들이 잠시 도시 생활의 분주함을 잊고 여유로운 시간을 보낼 수 있다. 4월~10월에는 '그늘막 쉼터'를 운영하여 많은 사람이 찾는다. 주차장도 두 군데 마련되어 있다.

3대 가족의 추억을 만드는 녹색 길

'가족'이란 단어는 마음을 참 따뜻하게 한다. 특히'가족여행'은 더 그렇다. 그러나 가족여행을 떠날 때 먼 곳으로 여행은 아이나 노인들에게는 부담스럽다. 그러기에 3대가 함께 여행할 때는 장소도 중요하다. 사랑하는 3대 가족을 위해 많은 준비 없이 갈 수 있는 가까운 공원부터 여행해보자. 여행은 뇌에 긍정적인 영향을 준다. 새로운 장소를 방문하고 새로운 경험을 하면 뇌를 자극하여 뇌가 더 잘 작동하게 한다. 이런 활동은 배우고 기억하는 능력을 향상시킨다. 또한 여행이 스트레스를 줄여주고 정서적으로 안정감을 주어 마음도 편안해진다.

3대 가족의 추억을 만드는 녹색길, 육교로 이어진 글로벌파크, 누리공원, 미추홀공원은 가족에게 잊을 수 없는 추억을 만들기에 완벽한 장소다. 이 공원들은 다양한 세대가 함께 어울리며 특별한 시간을 보낼 수 있는 곳이다. 이 공원에서 자연의 아름다움을 느끼며 가족과 대화하고, 깊은 유대감을 형성할 수 있다. 어린아이들은 놀이터에서 신나게 뛰어놀 수 있고, 어른들은 자연 속에서의 여유로운 산책을 즐길 수 있다. 할아버지와 할머니는 과거의 이야기를 손주들과 나누며 자연스럽게 소통할 수 있는 시간을 보낼 수 있다.

계절마다 변화하는 자연의 풍경은 방문할 때마다 새로운 경험을 제공한다. 공원 곳곳에 마련된 휴식 공간에서는 가족들이 함께 여유로운 시간을 보내며 쉴 수 있다. 육교 위에서 바라보는 송도의 전경은 가족사진으로 추억을 남길 수 있는 이상적인 곳이다. 도심속에서 자연과 함께하는 평화로운 시간을 보내며, 소중한 추억을 쌓을 수 있는 편안한 곳이다.

이 공원에 점차 사라져가는 아이들의 재잘거림이 다시 살아나길 바란다. 노년의 지혜를 풀어내는 지혜자들의 이야기가 사라지지 않기를 바란다. 매일의 삶이 여행처럼 설레길 바란다. 하루하루 몸과 마음을 건강하게 지켜, 가족과 함께 행복한 삶의 여정을 이어가길 바란다.

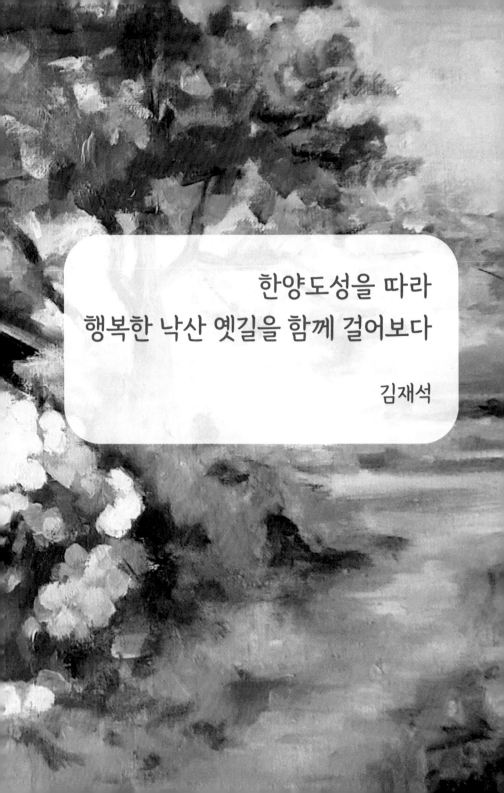

한양도성을 따라
행복한 낙산 옛길을 함께 걸어보다

김재석

〈낙산공원 후문(종로3번 종점)에서 혜화문으로 내려가는 외성순성길〉

내 놀이터, 낙산공원

　　정년퇴직 전후 "인생 후반전을 어떻게 살아야 할 것인가?"라는 자문에 국내외 여행을 다니거나 틈만 나면 독서를 하다 보니 그간 관심 있는 역사, 여행, 철학, 건강, 자기계발 등 여러 분야에 걸쳐 200여 권의 많은 책을 읽었다. 돌이켜보면 독서는 나의 큰 자산이라는 큰 깨우침을 갖게 된다.

이제 그 첫 번째 실천 모드로 운동과 산책을 해야겠다는 일념으로 집에서 가까운 낙산공원을 찾았다. 1년 넘게 매일 걸어서 공원에 가보니 남녀노소 할 것 없이 수많은 사람들이 공원에 있는 운동기구를 사용하여 근력운동을 하거나, 스트레칭, 달리기, 줄넘기를 하는 모습은, 물론 주말에는 여러 나라 외국인들도 붐비는 핫플레이스였다.

퇴직 전 직장에서 근무할 때 노인장기요양 업무를 오랫동안 수행하면서 거동이 불편한 많은 노인 또는 장애인을 만나면 "죽기 전에 단한 번만이라도 밖에 나가 하늘과 바다를 보면서 바깥 공기를 마시며 자유롭게 여행하고 싶다"라는 호소가 새삼스레 내 귓전을 때린다. 그들도 함께 세상 구경을 하고 싶은 사람들이었다.

지금은 무장애 여행을 전담하는 투어케어 업체들이 활동하기도 하지만 저상버스나 장애인 콜택시를 이용하여 휠체어를 타고 얼마든지 여행할 수 있다는 생각이 든다. 그 일번지라 할 수 있는 내가 자주 찾는 낙산공원 일대를 소개하고자 한다.

이곳에는 중앙광장 바로 아래 공영주차장은 물론 새롭게 보수 단장한 쾌적한 안심 화장실도 잘 구비되어 있고, 카페, 음식점, 전시관 등 편의시설이 잘 갖춰져 있어 보행약자들이 이용하기에도 아주 양호한 편이다.

낙산공원에는 3개의 전망광장이 있고, 공원 안에 계단길이 몇 군데 있지만, 공원 후문에서 내려가면서 계단길을 피해 우회해서 휠체어를 타고 다닐 수 있다. 대중교통을 이용할 경우, 종로 03번 저상 마을버스를 타고 종점에서 내리면 낙산공원 정상이다. 다른 사람들과 달리 정상으로 오르는 게 아니라 정상에서 내려가는 것이다. 휠체어랑 걷기에는 공원 후문에서 내려 낙산 여행을 시작하는 게 바로 최고의 꿀팁이다.

낙산이라는 이름은 산의 모양이 낙타 등처럼 볼록하게 솟아올라 있는 모습에서 낙타산 또는 타락산이었으나 낙산으로 줄여서 부른다고 한다. 서울 한복판을 사방에서 감싸고 있는 내사산(남산, 인왕산, 북악산, 낙산)을 완주해 보니 가장 낮은 산으로 정상에서 해발 125m 남짓이다. 궁궐 동쪽에 자리한 좌청룡에 해당하는 그리 높지 않은 산이나, 산 정상에서 사방을 둘러보면 안산, 인왕산, 삼각산, 도봉산, 목멱산, 관악산까지도 볼 수 있어, 경관이 수려할 뿐만 아니라 능선 따라 한양도성이 놓여있어 역사적 체취가 물씬 녹아 있다. 가장 낮은 산에서 가장 높은 곳을 바라보게 되는 것이다.

중앙광장에는 낙산에 관한 이야기를 모아놓은 낙산전시관을 비롯하여, 주변을 돌아보면 홍덕이밭, 낙산정, 놀이광장, 3개의 전망광장 등이 있는데, 각 지점마다 표지판을 세워 유래와 내용을 알기 쉽게 설명해 주고 있다.

낙산공원은 대학로 마로니에공원으로 내려가는 길과 한편으로는 혜화문, 다른 한편으로는 동대문으로 이어져 있는 한양도성과 푸른 숲이 어우러져 아름다운 정취를 즐길 수 있는 공원이다.

한양도성 낙산 구간은 혜화문 부근에서 걸으면 흥인지문까지 총 2.1km 구간으로 소요 시간은 약 1시간 정도 걸린다. 예술과 공연의 메카, 대학로로 내려가면 장애인문화예술원 운영시설인 '이음센터'가 있다. 안으로 들어가서 공연시설 곳곳을 둘러보고, 마로니에공원에 있는 공연홀에서 공연을 보기도 하고, 길거리 버스킹도 여러 곳에서 만날 수 있다.

낙산공원에 가면 낮 풍경은 낮 풍경대로 저 멀리 보이는 남산타워는 물론, 서울 시내를 한눈에 내려다보고, 밤 풍경은 밤 풍경대로 더욱 멋지다. 성곽에 조명이 들어와 감성적인 분위기를 느끼며 밤 풍경 조망지점에서 반짝반짝 빛나는 별도 보고, 아름다운 서울 야경은 낮과는 달리 참으로 장관이다. 가슴이 뻥 뚫리는 시원한 기분과 함께 서울의 몽마르트 언덕이라 불릴 정도로 아름다운 전망과 마음의 소리를 들어보는 사색의 즐거움을 흠뻑 누려보기 바란다.

친구나 가족과 함께 휠체어를 타고 큰길을 따라 내려가면 완만한 공원 산책길이라서 그야말로 최고의 무장애 힐링여행을 할 수 있다. 한양도성 구간 중 서울 도심에서 가장 쉽게 접근할 수 있고, 가장 편하게 오를 수 있는 성곽이 바로 낙산 성곽길이다.

특히, 날씨가 화창한 봄에는 진달래, 벚꽃, 매화, 철쭉, 목련, 개나리, 산수유, 야생화 등 여러 가지 꽃과 나무들로 무성하다. 가을엔 가을 냄새가 물씬 난다. 가을의 단풍도 아름답지만, 눈 쌓인 성벽과 풍광도 뛰어나다. 사계절 나름의 각양각색의 운치와 멋이 있다. 이제 낙산 탐방은 자주 찾는 내 놀이터가 되었다.

혜화문으로 가는 걷기 좋은 길

낙산공원 놀이광장 부근 성벽에는 성 안팎으로 드나드는 통로인 암문이 있다. 이곳으로 성벽을 나와 혜화문으로 가는 외성순성길은 외부 성곽을 보면서 걸을 수 있어 역사 속으로 떠나는 여행 같은 느낌을 주고, 북동 방향의 서울 전경을 볼 수도 있다. 낙산은 웅장한 한양도성의 일부이다. 낙산성곽은 용의 꼬리처럼 정상에서 혜화문까지 주욱 이어져 있다.

호젓한 성곽길을 내려가다 보면 성벽 앞 게시판에 한양도성은 조선왕조 도읍지인 한성부의 경계를 표시하고 왕조의 권위를 드러내며 외부의 침입을 방어하기 위해 축조된 도시 규모의 성곽유산이라고 쓰여 있다. 평균 높이 약 5~8m, 전체 길이 약 18.6km에 이르는 한양도성은 고유의 축성기법과 장인기술을 바탕으로 구축된 도시 서울의 랜드마크이다.

한양도성을 따라 걷는 순성길은 서울의 내사산(백악산, 낙산, 남산, 인왕산)을 잇고 사대문(숭례문, 흥인지문, 숙정문, 돈의문)을 포함한 다양한 문화유산을 지나는 역사와 문화 체험의 길이다. 실로 조선시대 사람들의 숨결을 느껴보기에 충분하다.

혜화동 가톨릭대학교 뒤편 성벽을 따라 걷다 보면, 글자가 새겨진 돌들을 종종 발견하게 된다. 각자성석(刻字城石)이라 불리는 이 돌은 한양도성 축성의 기록과 역사가 담긴 흔적들이다. 조선시대에도 성벽에 새긴 A/S 책임실명제를 구현한 것이다. 성벽에는 낡거나 부서진 곳을 책임지고 고친 역사가 고스란히 남아 있다. 처음 도성을 쌓은 곳과 나중에 보수한 곳을 구별할 수 있고, 도성 관리의 철저함을 엿볼 수 있다. 축성 방식도 태조, 세종, 숙종, 순조대를 걸쳐 성벽을 쌓은 시기에 따라 각각의 특징을 보인다. 충북 음성과 영동에서 온 사람의 지역명이 조각되어 있는데 "그 먼 길을 어떻게 이곳까지 왔으며, 별도의 품삯도 없이 그 고된 일을 어떻게 해냈는지?, 가족들과는 생이별을 하고 지냈는지?" 무수한 생각들이 떠오르며 갑자기 온통 궁금해진다.

〈성곽과 마주 보고 있는 369 마실 카페〉

좀 더 내려가보자. 은행나무 아래 고즈넉한 한옥 기와지붕과 빌딩으로 빼곡한 성북동 마을 풍경을 바라보며 커피 한 잔 마시기에 딱 좋은 운치 있는 369 마실 카페가 있다. 이곳에서는 작은 음악회를 열고 전통 국악과 어쿠스틱 기타로 연주하는 재즈 공연이 펼쳐지기도 한다. 369마을은 원래 삼선동의 '3', 재개발 추진 당시 '삼선6구역'에서 '6'의 첫소리와 丘(언덕 구)에서 '9'를 따서 이름을 붙였다.

또 하나의 의미는 마을의 정체성과 문화를 바탕으로 주민이 주도하고 화합하는 세 가지 가치를 지닌 언덕 마을로 '삼육구(三育丘)'라고 한다고 한다. 드라마 "사랑한다고 말해줘"와 "김영철의 동네 한 바퀴" 촬영지이기도 한 이곳은 동네 사회적협동조합에서 운영하고 있어 가격이 저렴할 뿐만 아니라, 모든 수익은 마을에 환원되어 공동체 활동에 쓰여진다고 한다. 성곽길에 있어 그 자리가 더욱 좋다. 음료와 과자도 맛이 다르게 느껴진다.

한양도성 낙산 구간은 혜화문으로 가는 길 끝에 다소 긴 계단길이 있어 휠체어랑 걸을 수 없다. 옥의 티라 생각된다. 이 지점에 보행약자를 위한 엘리베이터가 있으면 어떨까? 라는 생각마저 든다. 여기서 계속 가다 보면 와룡공원, 삼청공원까지도 이어진다. 아쉽지만 보행약자는 이곳을 피해서 다시 되돌아오는 산책여행도 나쁘지 않다. 새로운 색다른 묘미와 느낌이 새록새록 차오른다.

방향을 조금 틀면, 한양도성의 북쪽 마을이라고 하는 성북동(城北洞)은 오래전부터 수많은 작가들이 자리 잡았고, 한양을 지키는 북악산과 어울려 경관이 아주 수려하다. 끊어질 듯 펼쳐지는 한양도성, 문화재의

보고라 일컫는 간송미술관, '무량수전 배흘림기둥에 기대서서'의 저자 최순우 옛집, 상허 이태준 가옥인 수연산방, 길상화 김영한의 가슴 아린 사연을 담은 길상사, 승려이자 시인이었던 만해 한용운이 말년을 보낸 심우장 등 이름만 들어도 얼른 가보고 싶다.

역사와 문화가 넘치는 곳으로 모두가 입을 모아 성북동을 '지붕 없는 박물관'이라고 한다. 성북동은 한양도성의 백악 구간 일부를 순성하면서 한 번에 돌아볼 수 있는 여행을 별도로 가져보는 것도 좋을 듯하다. 지금은 함께하는 사람들과 담소를 나누며 한양도성길 낙산 구간을 걸어 보는 순성코스 여행으로 남았으면 한다.

흥인지문으로 가는 정든 자락길, 보물 성곽길

가장 비싼 최고급 BMW (BMW란 B: Bus, M: Metro(서울교통공사 지하철), W : Wheelchair라는 의미다.)를 타고 낙산공원 정상에서 흥인지문이 있는 명품 코스로 가보자. 여행이 주는 치유의 힘이 있다.

한양도성 길을 내려가는 흥인지문 방면 코스는 성곽 안쪽 내성순성 길을 따라 한적한 도심 속 편안한 숲길을 타박타박 걸을 수 있다. 아스팔트길로 차가 다니는 길과 성곽 옆으로 오솔길이 쭉 이어져 있고 그 중간 길 길바닥에는 마치 친환경 소재로 된 가마니 형태의 양탄자를 깔아놓은 듯하다. 흥인지문과 흥인지문공원 일대가 훤히 내려다보이는 풍광이 있는 내리막길이다. 말 없는 문화유산에 귀 기울이며 휠체어나 전동 휠체어로 걸어가기에는 안성맞춤이다.

이 성곽길을 천천히 따라가다 보면 문화유산과 함께 카페나 주점들이 여러 곳에 있어서 쉬어갈 수도 있는 특별한 문화와 재미가 있다. 커피향에 젖어 대화를 나누다 보면 문화가 주는 맛이 있어 풍취가 진하고 색다르다. 이 지점에서 밀집한 가옥과 벽화가 있는 이화벽화마을 골목길로 방향을 돌리면 사람의 향기를 맡을 수 있다. 하얀 배꽃이 흐드러지게 피던 경치 좋은 모습을 상상하게 된다.

〈성곽길을 따라 흥인지문으로 가는 길에 함께 호흡하고 있는 즐비한 카페들〉

한양도성 낙산 구간 카페, 맛집:
산1-1, 책 읽는 고양이(북카페), 개뿔, 테르트르, 도넛정수
등 / 우물정, 창창, 밀림 등

창신동 절벽마을로 들어가면 4층으로 된 뷰 맛집인 전망대 카페가 있다. 통유리로 되어 있는 내부 공간으로 서울 시내가 한눈에 들어온다. 높은 루프탑으로 올라서면 남산타워도 보이고, 낙산공원 성곽길도 보이고, 잠실 롯데타워도 보이고, DDP도 보인다. 뉘엿뉘엿 해지는 저녁, 멋진 석양과 야경도 참 아름다워 예쁜 풍경과 함께 소중한 추억을 간직할 수 있다. 이 순간 별유천지가 따로 없는 듯하다. 데이트하는 연인들은 물론 외국인들도 많아 서울 풍경과 함께 살짝 이국적인 모습도 묻어난다. 유 퀴즈 온 더 블럭에서 촬영한 이후 널리 알려져 데이트 장소로도 더 유명 명소가 되었다.

근처에는 태국 음식점, 홍콩 감성의 중국음식점 등 웨이팅이 길게 늘어선 맛집들이 숨어 있다. 성곽길을 따라 내려가다 보면 스터디 카페, 카페, 주점들도 줄지어 있다.

낙산 성곽길을 다 내려오면 한양도성 박물관과 흥인지문공원이 있다. 한양도성 박물관은 도성의 축조와 변화에 관한 자료를 수집, 연구, 교육, 전시할 목적으로 상설전시실, 기획전시실, 자료실과 학습실을 갖춘 문화공간으로 한양도성을 더욱 풍성하게 견학할 수 있을 것이다. 흥인지문공원은 이화여자대학교 동대문병원을 철거하고 그 자리에 공원이 조성된 것이다.

큰길을 건너가면 이어서 만나는 문이 대한민국 보물 제1호 흥인지문으로 동쪽의 큰 대문이라 하여 동대문이라고 불린다. 서울의 8개 성문 중 흥인지문은 숭례문과 규모가 큰 성문으로 문루를 2층으로 만든 것은 숭례문과 흥인지문밖에 없다. 문루는 문을 지키는 장수가 머무는 곳으로 비상시 군사를 통솔하는 지휘소 역할을 한 것이다. 공교롭게 둘 다 번화한 남대문시장과 동대문시장에 위치해 있다.

여기서 좀 더 걸어가보자. 패션의 메카, 옛 동대문운동장을 허물고 새롭게 지은 동대문의 명소 DDP는 동대문디자인플라자를 뜻하기도 하지만, '꿈꾸고(Dream), 만들고(Design), 누리고(Play)'의 약자이기도

하다. 세계적 건축가 자하 하디드가 설계한 3차원 비정형 건물로 패션쇼, 신제품 발표회, 포럼, 컨퍼런스 등 문화행사가 열리는 다양한 복합문화공간이다. 일반 건물과는 달리 살아있는 곡선으로 새로운 우주 창조를 위한 우주선을 연상시킨다.

흥인지문에서 광희문으로 연결되는 성벽은 안타깝게 대부분 소실되고, 한양도성의 두 개의 수문으로 이간(二間)수문과 오간(五間)수문이 있다. 조선 초부터 남산의 개울물(남소문동천)을 도성 밖으로 보내던 이간수문을 발굴하여 복원하고, 청계천에 재현한 오간수문을 덤으로 탐방해 보는 것도 좋다.

자, 이제 한양도성과 공원을 한 번에 즐길 수 있는 낙산으로 모두 떠나보자! 신체활동이 불편한 노인이나 장애인에게도 투어케어를 통한 기분 좋은 특별한 무장애 낙산 여행이 될 것이다. 낙산을 걸어서 한 바퀴 돌아보면, 낙산 여행의 매력이 진하게 온몸으로 전해진다. 나 역시 "그동안 서울에 살면서 왜 여태껏 안 와봤을까?" 자꾸 되물으며 소중한 추억으로 남아 있다.

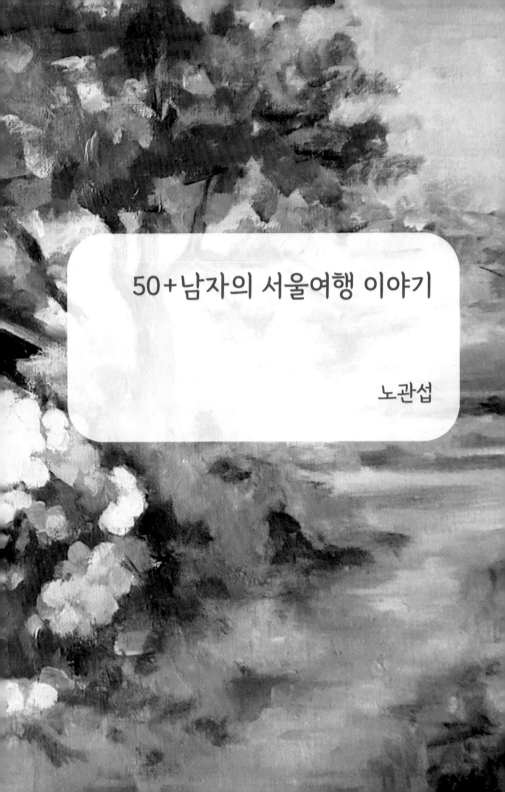

50+남자의 서울여행 이야기

노관섭

여행을 공부하다

　집을 나와 길을 떠나면 여행이지, 여행도 공부를 해야 하나. 30여 년을 도로연구자로 생활하고 정년퇴직을 앞두던 차에 모 디지털대학교 웰니스문화관광학과에 학사 편입하여 졸업했다. 사람이나 차 등이 다닐 수 있도록 땅 위에 만들어 놓은 길인 도로를 어떻게 하면 안전하고 편리하게, 멋진 도로 환경으로 만들 것인지 연구하느라 전국의 수많은 도로를 답사했다. 퇴직 이후에는 취미인 여행과 사진, 기록 남기기를 살려서, 생업이 아닌 부업이며 취미를 살리려고 본격적으로 여행자 길에 들어설 계획을 한다. 새로운 것을 제대로 알기 위해서는 공부가 필요하다. 웰니스(wellness)는 참살이 웰빙(well-being)과 행복(happiness), 건강(fitness)의 합성어다. 신체적, 정신적, 사회적, 영성적으로 건강하고 안정된 상태를 말하는 것으로, 다양한 삶의 실천 방식이 있다. 웰니스 여행은 여행을 통해서 웰니스를 추구하는 것이다. 국내여행안내사와 명상지도강사 등 자격을 취득하고, 퇴직과 함께 여행 실전 또는 취미 생활에 본격적으로 돌입하려 했으나 코로나19로 인하여 모든 것이 멈췄다.

필자는 성은 노가요 별명은 도(道)를 찾아가는 길(路)이라서 '노도로'라는 닉네임으로 다양한 활동을 한다. 삶의 도를 찾아 행복하고 아름다운 길을 가고자 다음 카페 '행복아름길'을, 안전하고 문화의 도로를 연구하며 네이버 블로그 '좋은도로_행복아름길'을 운영해왔다. 2020년 7월 7일 '도로의 날'을 맞이하여 건강하고 행복한 삶을 추구하는 '안녕도(安寧道 Wellness Road)'를 정립하였고, 2020년 9월에 33여 년의 도로연구자 직장생활을 마감하고 제3인생을 시작하며 '안녕도원(安寧道院)'을 열다. 건강하고 행복한 삶을 지향하며 행복하고 아름다운 길을 가고자 안녕도를 연구하고 수행한다. 구체적인 활동으로 몸·마음 건강수련, 웰니스여행, 사진자서전 쓰기와 답사 등 문화모임, 순례, 피정, 영성독서모임 등 신앙의 길을 걷는다.

2020년 가을에 퇴직하여 일 있으면 프리랜서고 일 없으면 백수로, 코로나 시대를 지나면서 서울50플러스를 만났다. 서울시에서 인생 후반을 준비하는 50+세대(만50~64세)를 위해 생애설계, 직업교육, 일자리를 지원하기 위해 설립한 서울50플러스재단의 여러 캠퍼스와 센터에서 진행하는 관심 분야의 강의를 수강한다. 수강한 여행강좌는 '50+도시여행해설가 양성과정 8기'(강사 강세훈, 2021.4, 서부캠퍼스), '꼭 가봐야 할 국내여행 100선 탐방'(강사 박춘덕, 2021.7, 북부캠퍼스)이다.

최근의 여행강좌로는 다음 과정들이 있다. '훌쩍 떠나는 자유여행의 기술'(강사 김미래, 4회차, 2023.09, 북부캠퍼스). '서울 역사여행과 여행작가 되기'(강사 윤재훈, 8회차, 2023.10, 영등포센터). '우리 고장 알리미 문화해설 활동가'(강사 김두근, 14회차, 2024.04, 서대문센터). '길 문화 해설가 양성과정'(강사 강세훈, 2024.3, 성북센터). '역사이야기와 함께하는 서울 동네길 여행 탐방'(강사 조승아, 6회차, 2024.3, 서초센터). 성북센터에서는 2024년 상반기에 인생 설계-인큐베이팅지원으로 '걷기다이어리'(대표 최성혁)의 '북한산 둘레길 마스터 도전기', '한양도성 마스터 도전기', '둘레길따라 조선왕릉' 등의 다양한 답사 프로그램을 진행한다. 걷기를 통해 서울의 역사와 문화, 생태를 알고 느끼며, 심신 단련과 체력 증진, 구간 완주를 통한 성취감과 자신감 고취를 목적으로 한다.

서울50플러스재단에서 마련하는 다양한 프로그램 중에서 본인의 여행 목적과 특성에 따라 관련 강좌를 수강하는 것은 자기만의 멋진 여행을 위한 첫걸음이 된다.

<'50+도시여행해설가 양성과정' 강좌의 현장실습 답사>

여행으로 만나는 사람들

2021년 7월부터 북부캠퍼스의 강좌인 '꼭 가봐야 할 국내여행 100선 탐방'(강사 박춘덕)은 1회차 2시간씩, 6회차로 진행되었다. 코로나19에 묶여있는 때여서 강의는 실시간 온라인 줌으로 열렸다. (1회차) 나의 버킷리스트, 국내여행 100선 탐방, (2회차) 동해안 여름 휴가지 완전 정복, (3, 4회차) 제주도 한 달 살며 역사문화 배우기, (5회차) 여행 관련 어플 활용과 여행 사진 잘 찍기, (6회차) 동선 관리로 여행 인싸 도전 등의 내용을 10여 명이 즐겁게 수강하였다.

본 수강을 마치고 7인이 여행 정보의 공유와 나눔, 답사로 건강하고 풍요로운 50+ 인생을 걸어가는 모임으로 '잘놀자여행' 커뮤니티를 구성했다. 2주 간격으로 만나서 7회차의 모임을 가졌다 (2021.9-11). 2차까지는 캠퍼스에서 자기소개와 향후 활동 계획에 대해서 논의하고, 여행에 관한 자기 견해와 경험 등을 공유하였다. 이후 4차에 걸쳐 화담숲, 서울숲, 서촌, 낙산성곽길을 답사하고, 7회차 마지막에는 추억을 되새기며 마무리했다.

북부캠퍼스의 커뮤니티 데이(2021.11.24.)에서 커뮤니티 대표인 필자는 〈'잘놀자여행'이 걸어가는 길 -여행의 이유에서 기술까지-〉라는 제목으로 발표했다. 커뮤니티 활동 내용을 소개하고 여행 관련 정보를 공유했다.

공식 모임을 마치고, 다음 해에는 매달 서울도보해설관광에 참여하고 점심과 차담하는 비공식 모임으로 2년간 이어갔다.

관련 강좌의 강사이자 커뮤니티 모임의 고문으로 참여한 잘놀자여행연구소 박춘덕 소장은 네이버 블로그 '검증된맛집여행'을 운영하고 있다. 여기에는 전국 각 지역의 여행 계획 및 맛집 정보를 비롯하여 많은 정보를 제공하고 있다. 전국 여행을 계획할 때 참고할 수 있는 좋은 자료들이다.

〈'잘놀자여행' 커뮤니티 활동 모습〉

여행의 목적이나 방식에 있어서 뜻있는 분들이 소모임으로 함께한다면 즐겁고 행복한 여행길을 걸어갈 수 있다. 도보답사 관련한 단체들이 많이 있다. 인터넷 검색을 통해서 알아보고 참여해보자. 서울역사편찬원, 서울역사박물관, 국립박물관 등에서 개최하는 문화 및 여행강좌나 답사에 참여하는 것도 좋겠다. 서울의 도봉구, 동대문구, 은평구, 성동구 성수동 등 지자체 답사 프로그램들도 활성화되고 있다. 일부 프로그램은 서울시 공공서비스예약 (https://yeyak.seoul.go.kr)에서 확인하고 신청할 수 있다.

행복한 삶을 위해서 필요한 4대 주요 요소는 건강, 재산, 관계, 취미다. 따로 또 같이 걷기문화여행을 즐기는 것은 이 모든 것을 도모할 수 있다. 다리 떨리기 전, 가슴이 떨릴 때 가까운 곳에서부터 걷자. 걸으면서 행복해지자.

<북촌 한옥마을 답사>

서울도보해설관광을 즐기다

서울도보해설관광은 서울의 주요 관광명소를 해설사의 전문적 해설을 들으며 도보로 탐방하는 관광 프로그램이다. 서울문화관광해설사가 서울의 역사, 문화, 자연 등 관광자원에 대해 상세하고 알기 쉽게 들려준다. 여행은 즐겁고 유익해야 하며, 육체적으로는 걷기로 건강을 도모하고 정신적으로는 힐링을 추구하는데, 서울도보해설관광은 이 모든 조건에 딱 맞는 프로그램이다. 대부분 소요 시간 2~3시간 정도로 진행된다. 참가비는 무료이며, 궁궐 입장료 및 문화 체험료, 교통비 등은 개인이 부담해야 한다.

도보해설관광 코스로는 [궁궐] [왕릉] [한옥마을] [성곽둘레길] [도시재생] [건축&예술] [전통&문화] [순례길] 등 다채로운 테마로 40여 개 코스를 운영하고 있다. 일부 코스는 가족을 위한 코스, 야간 코스, 장애인 도보해설관광 코스도 운영하고 있다. 서울관광재단이 운영하는 서울도보해설관광 누리집에 상세한 정보가 실려 있다.

[궁궐]은 경복궁, 창덕궁, 창경궁, 덕수궁, 경희궁 코스가 있다. 경복궁은 조선왕조의 찬란했던 600년 역사를 마주하고, 운치 있는 돌담길·전각·연못 등을 둘러본다. 창덕궁은 1405년 태종이 지은 조선왕조의 두 번째 궁궐로, 조선의 궁궐 중 가장 오래 왕들이 거처했던 궁이다. 후원이 아름답기로 손꼽힌다. 1997년 세계문화유산에 등재된 곳이다. 창경궁은 성종 14년(1483) 세 명의 대비들을 위해 지은 궁궐로써 창덕궁과 인접해 하나의 궁궐처럼 사용했다. 덕수궁은 10년간 대한제국의 황궁으로 사용되었던 곳으로 대한민국 근대사의 치열한 역사를 고스란히 안고 있다. 경희궁은 서대문의 역사문화재 답사와 함께 하는 코스이다. 구한말에서 일제강점기 시대를 대표하는 유적들이 모여 있는 곳으로 일제강점기 때 가장 많은 변화를 겪었던 곳이다. 휴궁일은 경복궁만 화요일이고, 다른 궁들은 모두 월요일이다.

[왕릉]으로 선정릉이 있다. 조선의 문물과 제도를 완성한 성종과 그의 비 정현왕후의 묘인 선릉, 왕도정치를 실현하고자 노력한 중종의 묘인 정릉을 돌아보며 조선 왕조의 역사와 2009년 유네스코 세계문화유산으로 등재된 조선 왕릉에 대해 배울 수 있는 코스이다.

[한옥마을]로는 북촌 한옥마을이 있다. 서울에서 유일하게 전통 한옥들이 모여 있는 북촌한옥마을은 굽이굽이 미로 같은 골목길 사이로 한옥들과 역사 문화자원, 박물관, 공방들이 발길 닿는 곳곳에 자리하고 있어 국내외 관광객들에게 한국 고유의 다양한 문화를 체험하고 알릴 수 있는 코스이다.

[성곽둘레길]에는 율곡로 궁궐담장길, 경복궁 돌담길과 청와대, 남산성곽, 낙산성곽, 몽촌토성 등 5개 코스가 있다. 율곡로 궁궐담장길은 서순라길 골목을 따라 여유로운 도심 산책을 즐기고 익선동 한옥마을까지 살펴보는 코스이다. 경복궁 돌담길과 청와대 코스는 경복궁 돌담길에는 조선왕실의 문화유산과 이야기가, 조선총독부 관저에서 대통령의 집무실까지 청와대의 역사와 자연 이야기를 전한다. 청와대 내부 입장은 본 코스와는 무관하게 별도로 신청해서 관람해야 한다.

남산성곽 코스는 수표교, 봉수대 등 조선시대 역사유적과 국립극장, 남산 서울타워 등 현대 문화시설, 남산 동쪽 기슭부터 정상까지 이어져 있는 한양도성 등 역사와 문화를 함께 즐길 수 있는 코스이다. 낙산성곽은 조선의 수도 한양을 둘러싸는 현존하는 세계 도성 중 가장 크고 잘 보존된 문화유산인 한양도성 구간 중 가장 걷기 좋은 낙산성곽길을 따라가는 코스다. 몽촌토성 코스는 몽촌토성을 중심으로 도심 속의 휴식공간 올림픽공원을 돌아본다. 삼국 역사의 숨결과 88 서울 올림픽의 감동이 살아있는 코스이다.

[도시재생]에는 광화문 광장, 서울로7017, 청계천 코스가 있다. 광화문 광장은 600년의 역사와 생태환경이 어우러진 상징적 공간으로 다시 태어났다. 광화문광장에서 세종대로 사람숲길, 서울광장까지 시민을 위한 생태 문명 도시로 발전하는 서울의 미래를 느낄 수 있다. 서울로7017은 차도가 사람 중심 초록 보행길로 재탄생한 곳으로, 조선시대 한양에서 서울로 거듭나기까지의 도시의 변화를 만나 볼 수 있는 코스이다. 청계천 코스에서는 맑은 공기와 깨끗한 물이 어우러진 도심 속 휴식 공간을 걷는다. 청계광장을 비롯하여 청계천 8경을 감상할 수 있다.

[건축&예술]로는 정동, 서촌의 오래된 골목산책, 성북동, 대학로 건축물 탐방, 국립중앙박물관 정원에서 보물찾기 등의 코스가 있다. 정동 코스에서는 덕수궁의 돌담과 빨간 벽돌의 근대식 건물이 어우러진 1900년 모던 정동으로 떠나는 시간여행을 한다. 서촌의 오래된 골목산책 코스에서는 조선시대부터 일제강점기를 거쳐 현대에 이르기까지 차곡차곡 쌓인 시간을 찾아 떠나는 여행이면서, 이 땅에 살았던 수많은 예술가들의 흔적을 찾는다. 성북동 코스는 성북동 뒷골목을 사이에 두고 숨어있는 역사·문화 관련 선인들의 발자취와 흔적을 찾아가는 코스이다. 대학로 건축물 탐방 코스는 대학로에 위치한 근현대 건축물을 탐방하며 우리의 현대사를 돌아볼 수 있다. 대학로는 이제는 명실상부한 젊음의 거리이고 문화의 메카이다. 국립중앙박물관 정원에서 보물찾기 코스에서는 운치 있는 박물관 정원의 산책로를 따라 걸으며 보물처럼 숨어있는 전통 유물과 명소를 발견하고 그 속에 얽힌 신비로운 이야기를 만나 볼 수 있다.

[전통&문화] 코스로는 용산 한강대로 이야기길, 전통시장 힐링로드, 인사동, 성균관 공간과 인물들, 양천로 겸재정선 코스가 있다. 용산 한강대로 이야기길 코스는 용산의 골목길 구석구석을 걸어보며 곳곳에 남아있는 우리 역사와 문화의 옛 자취를 느껴볼 수 있다. 전통시장 힐링로드는 우리나라 역사, 문화의 자취를 따라 걸으며 몸에 활기를 불어넣을 수 있는 코스다. 농사의 신에게 제사를 지냈던 선농단, 서울약령시, 경동시장을 둘러본다. 인사동은 골동품, 화랑, 고가구, 민속공예품 등 한국의 전통을 다양하게 접할 수 있는 상점이 즐비한 서울의 대표 거리이다. 한국 고유의 맛과 멋을 동시에 즐길 수 있는 코스이다. 성균관 공간과 인물들이라는 명칭을 가진 코스는 조선시대의 국립대학이자 공자에게 제사를 드리는 사당인 성균관 유생들의 생활과 이들이 생활한 공간, 그리고 그에 얽힌 인물들의 이야기를 알아보는 코스이다. 양천로 겸재정선 코스는 우리나라 특유의 산수화인 진경산수화를 창안한 겸재 정선이 양천현령으로 근무한 양천현(지금의 강서구 가양동 일대) 현장의 다양한 이야기가 서린 코스이다.

[순례길] 코스로는 북촌 순례길, 서소문 순례길, 한강 순례길 등이 있다. 북촌 순례길과 서소문 순례길은 한국 천주교회 공동체가 처음 탄생한 시기의 역사와 인물, 성당과 순교성지를 살펴보는 코스다. 한강 순례길은 한적한 한강 길을 거닐며 사색에 잠기는 힐링코스이다. 그 끝에 만나는 절두산 순교성지와 양화진 외국인 선교사묘원 속 순교자들의 발자취를 보며 자신을 뒤돌아본다.

이 프로그램에 참여하기 위해서 개인 예약은 관광일 기준 3일 전에 인터넷으로 예약하고, 단체 예약은 5일 전에 인터넷으로 예약한다. 개인/단체 예약 모두 모바일 Visit Seoul(m.visitseoul.net)에서도 예약이 가능하다. 개인 예약은 1인부터 가능하나, 총 예약인원이 3인 이상일 경우에 출발이 확정된다. 프로그램당 참여 인원은 개인 최대 10명이다.

서울도보해설관광은 해설사에 따라서 전문 분야와 경험을 녹아낸 유익하고 구수한 다양한 이야기를 들으며 가볍게 걸을 수 있는 강추 여행 프로그램이다. 기회가 되면 지인들과 함께 자주 참여하고 싶다. 한편 주어진 시간 안에서 프로그램이 진행되므로 역사문화예술이 내장된 시설 내부는 들어가지 못하는 한계가 있다. 별도의 시간을 내서 상세한 답사를 하자. 본 프로그램을 운영하는 관계자와 해설사님들께 이 자리를 빌어서 감사 말씀을 드린다.

〈남산성곽길 답사〉

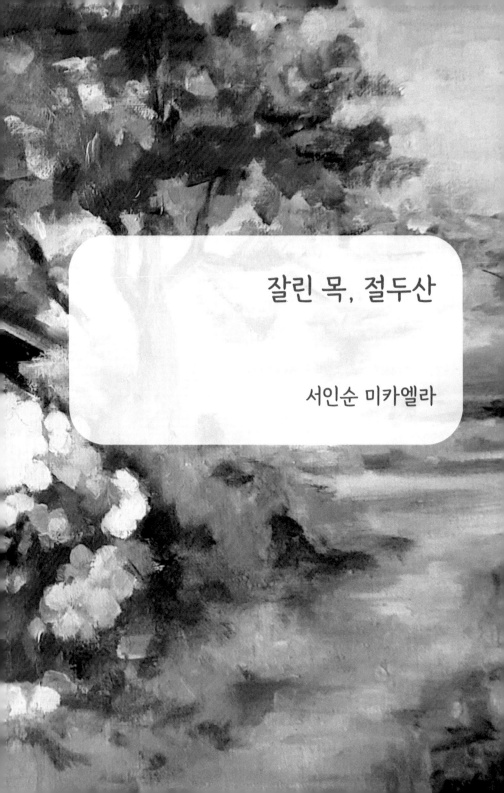

잘린 목, 절두산

서인순 미카엘라

잘린 목, 절두산

우리 교회는 순교자들 피로 태어났다. 거룩한 땅인 성지는 신앙 선조들이 매질을 당하거나, 참수를 당한 곳이 대부분이다. 성지순례를 한다는 것은 신앙을 지키기 위해 그 어떤 말이나 표현으로도 부족하기만 한 고통을 무의식에 담아 방문하는 것일 수밖에 없다. 피할 수 있으면 피하고 싶은 장소. 본당에서 성지를 갈 때도 신청하지 않았다. 그렇게 힘껏 성지를 외면하며 신앙생활을 했다. 그러다 이번에 친구와 절두산 성지를 다녀왔다. 매일 미사를 참례하고, 늘 평화방송을 가까이하며 사는 친구다. 그리 멀지 않은 곳에 사는데도 만나기가 쉽지 않다. 이야기도 나누면서 서로에게 의미가 있는 곳으로 고르다 보니 성지순례로 정하게 되었다. 친구는 명동 성당을 첫 번째 성지로 택했고, 두 번째로 가고 싶어 한 곳이 절두산이었다.

성지를 방문하기 전에 홈페이지도 찾아보고 인터넷을 뒤적여보니 이런 설명이 나온다.

잠두봉과 절두산 사적지

현재 절두산 순교 기념관이 위치해 있는 곳은 양화나루(楊花津) 위쪽의 '잠두봉'이다. 그 이름은 마치 누에가 머리를 들고 있는 것 같다는 데서 유래되었으며, 용두봉(龍頭峰) 또는 들머리(加乙頭)라고도 불리었다. 이곳 양화나루는 용산 쪽 노들나루에서 시작된 아름다운 풍경이 밤섬을 돌아 누에머리처럼 우뚝 솟은 이곳 절벽에 와 닿고, 이어 삼개 곧 마포 나루를 향해 내려가던 곳으로, '버드나무가 꽃처럼 아름답게 늘어진 곳'이었다. 특히 '양화나루에서 밟는 겨울 눈'에 대한 시는 한도십영(漢都十詠)의 하나로 손꼽힐 만큼 많은 문인과 명사들이 이러한 시를 남겼다. 이곳 잠두봉 명승지와 양화나루는 1997년 11월 11일에 사적지 제399호로 지정되었다.

이처럼 아름답던 이곳이 순교자들의 피로 얼룩지게 된 것은 병인박해 때문이었다. 그 해 벽두부터 베르뇌 주교와 선교사들, 교회의 지도층 신자들을 처형하기 시작한 흥선 대원군은 이른바 병인양요(丙寅洋擾) 직후 이곳 총융진(總戎陣)에 형장을 설치하고 신자들을 체포해 학살하기 시작하였다. 앞서 1866년 9월 26일(음력 8월 18일)에 로즈(Roze)가 이끄는 세 척의 프랑스 함대는 한강 입구를 거쳐 양화나루와 서강(西江)까지 올라갔다가 중국 체푸로 돌아갔으며, 10월에는 다시 일곱 척의 군함을 이끌고 강화도 갑곶진(甲串津)을 거쳐 강화읍을 점령하였다가 문수산성과 정족산성에서 조선군에게 패하여 중국으로 철수하였다.

두 차례의 병인양요가 프랑스 측의 실패로 끝나면서 천주교에 대한 박해는 더욱 가열되어 1867년과 1868년 초까지 도처에서 천주교 신자들이 체포되거나 순교하였다. 대원군은 전국에 명하여 천주교도들을 남김없이 색출해 내도록 하였으며, 11월 23일에는 성연순 등을 체포하여 강화도에서 교수형에 처하고, '천주교 신자는 먼저 처형한 뒤에 보고하라'는 선참후계(先斬後啓)의 영을 내렸다. 뿐만 아니라 '프랑스 함대가 양화나루까지 침입한 것은 천주교 때문이고, 조선의 강역이 서양 오랑캐들에 의해 더럽혀졌다.'는 구실 아래 '양화나루를 천주교 신자들의 피로 깨끗이 씻어야 한다.'고 강조하였다.

처음 이곳에서 순교한 신자들은 10월 22일에 효수형을 받은 이의송(프란치스코)·김이쁜 부부와 아들 이붕익, 10월 25일에 효수형을 받은 황해도 출신의 회장 박영래(요한) 등이었다. 그리고 이후로는 효수형뿐만 아니라 참수형을 받아 순교하기도 하였으며, 또는 몽둥이로 쳐 죽이는 장살로, 얼굴에 한지를 붙이고 물을 뿌려 숨이 막혀 죽게 하는 백지사(白紙死, 일명 도모지) 등으로 계속하여 순교자들이 탄생하게 되었다. 교회 안의 전승에 따르면, 순교자들의 피는 잠두봉 바위를 물들이면서 한강에 흩뿌려졌다고 한다.

성 김대건 신부상 뒤편에 박순집 베드로의 묘와 공적비, 남종삼 성인의 흉상, 은언군과 송 마리아의 묘비 등이 전시되어 있다. "어떤 순교자는 죽은 뒤에도 얼굴색이 변하지 않았고, 어느 순교자는 죽기를 두려워하지 않고 예수 그리스도를 찾았으며, 또 어떤 순교자가 죽은 뒤에는 한강에서부터 무지개가 떴다. 그들의 시신을 수습하여 안장한 신자는 곧 그들의 뒤를 따라 순교자가 되었으며, 이를 목격한 외교인은 무서운 박해의 위협 속에서도 주저하지 않고 복음을 받아들이게 되었다. 순교자들의 씨는 복음의 터전이 되었고, 복음에 대한 믿음은 다시 순교자를 탄생시킨 것이다." (한국의 여러 '순교사기')

출처: 가톨릭 굿뉴스 절두산 성지 [차기진, 사목, 1999년 3월회]

또 이런 설명도 있다.

절두산에서 순교한 이들 중에 기록이 남아 있는 맨 처음 순교자는 이의송 프란치스코 일가족이다. 병인년 10월 22일 부인 김이쁜 마리아와 아들 이붕익 베드로가 함께 참수되었다고 한다. 이렇듯 이름과 행적을 알 수 있는 22명과 단지 이름만 알려진 2명 그리고 이름조차 알 수 없는 5명을 합해 29명 외에는 아무런 기록도 전해지지 않는 무명 순교자들이다. 절두산 순교성지에서는 2016년 1월 10일 병인박해 150주년을 기념하며 절두산에서 순교한 하느님의 종 13위 순교자화를 축복하고 이들의 시복시성을 위해 노력하고 있다. 이들은 현재 시복 추진 중인 이벽 요한 세례자와 동료 132위에 포함된 순교자들이다.

우뚝 솟은 벼랑 위에 3층으로 세워진 기념관은 우리 전통문화와 순교자들의 고난을 대변해 준다. 접시 모양의 지붕은 옛날 선비들이 전통적으로 의관을 갖출 때 머리에 쓰는 갓을, 구멍을 갖고 있는 수직의 벽은 순교자들의 목에 채워졌던 목칼을, 그리고 지붕 위에서 내려뜨려진 사슬은 족쇄를 상징한다.

절두산 순교자 기념성당 지하의 성해실. 27위의 성인과 1위의 무명 순교자 유해가 모셔져 있다·웅장하게 세워진 절두산 기념관은 순례성당과 순교 성인 27위와 1위의 무명 순교자 유해를 모신 지하 성해실, 그리고 한국 교회의 발자취를 한눈에 볼 수 있는 수많은 자료와 유물들이 전시되어 있는 전시관으로 나누어 볼 수 있다.

특히 순교 기념관에는 초대 교회 창설에 힘썼던 선구 실학자 이벽 · 이가환 · 정약용 등의 유물과 순교자들의 유품, 순교자들이 옥고를 치를 때 쓰였던 형구(刑具)를 비롯해 갖가지 진귀한 순교 자료들이 소장되어 있다. 그중에서도 한국인으로 두 번째 사제였던 최양업 토마스 신부 일대기 31점과 유중철 요한과 이순이 루갈다 동정 부부 일대기 27점은 귀중한 자료로 꼽힌다.

출처: 가톨릭 굿뉴스 절두산 성지 [주평국, 하늘에서 땅끝까지 - 향내 나는 그분들의 발자국을 따라서]

합정역에 내려 10분 정도만 걸으면 성지가 나온다. 들어가는 길은 가파르지만 비가 오거나 얼어도 잘 다닐 수 있게 최대한 안전하게 정성 들여 만들었다. 평지로 올라오면 성지 안내 표지판이 있고 팔 마가지를 쥐고 온화하게 웃으시는 예수님이 반겨주신다.

그 옆으로는 긴 칼 두 개와 칼 아래에 꽃피는 나무 조형물이 있 다. 진달래와 할미꽃을 많이 심었고, 항아리들도 모아두었다. 동글동 글해서 안내문을 읽기 전에는 형틀이라고는 상상할 수 없는 돌과 교 황님의 흉상을 지나 성당으로 이어지는 문에 도착했다. 이곳에서도 아주 독특한 예수님이 순례객을 반긴다. 눈에 보이지 않지만, 항상 우리와 함께 계신다는 것을 말하고 싶은 것처럼 느껴졌다.

성당으로 가려면 오르막길을 걸어야 한다. 중간쯤에 계단이 있는 데 폭이 높고, 미끄러울 때 붙잡고 다니라고 튼튼한 밧줄도 함께 묶 어 두었다. 그렇게 높은 계단을 올라 고개를 들어보니 성당이다. 성 당 문에는 팔을 넓게 펼친 예수님이 반겨주신다. 하지만 얼굴이 있 어야 할 자리에 성령을 의미하는 비둘기 형상이 있어 조금 무서웠 다. 머리가 잘린 성지를 나타내기 위해 그렇게 표현했나 보다.

미사 중 신부님의 강론이 인상적이었는데, 미사 때마다 새로운 성 인들을 소개하는 모양이었다. 그날은 이정희 바르바라 성녀 시간이 있었다. 천주교를 몹시 싫어하는 아버지가 천주교 신자가 아닌 사람과 혼인을 시키려 해 성녀는 3년을 다리가 아파 걷지 못한척했다고 한 다. 결국 아버지는 뜻을 꺾었고 성녀는 천주교 신자와 혼인했단다. 하지만 2년 뒤에 남편이 세상을 떠나 과부가 되자 고모와 여동생과 함께 살았다고 한다.

그때는 과부가 세상을 살기는 너무도 힘들 때였다. 서낭당에 서 있으면 처음 마주친 남자가 무조건 데려가 부인으로 삼아야 한다는 습첩이라는 제도가 있었다는데, 살기가 얼마나 힘들었으면 그렇게라도 길을 열어주었을까 싶다. 내가 그 시대에 과부로 산다면 서낭당으로 가지 않았을까? 그런데 성녀는 그 길을 택하지 않았고, 1839년 기해박해가 시작되자 스스로 포도청으로 가 온갖 형벌을 받고 서소문 밖에서 참수형을 당했다고 한다.

미사가 끝나고 이번에는 비탈길로 내려왔는데 계단을 오르느라 못 보던 경관을 볼 수 있었다. 척화비 옆에 김대건 안드레아 신부님 동상이 있는데 유난히 손만 반짝거렸다. 동상 앞에 선 모든 사람이 신부님 손을 만지며 자신을 위해 기도드려달라고 청원한 것은 아닐까 싶었다. 내 기도도 살짝 얹었다.

성당에서 내려올 때 본 조각을 생각하며 십자가의 길 기도를 드렸다.
풀린 상투는 십자가 위에, 손은 십자가 옆에 묶인 정하상 바오로 성인과 작은 십자가로 표현된 순교자 마흔넷.
작품 제목은 '우리는 주님을 위해 죽을 수 있는가?'라고 한다. 나 역시 순교자들만 생각하면 떠오르는 물음이다.
나는 몇백 번, 수천 번 모두 '못한다'라고 할 것이다. 나에게 배교하라거나 밀고하라고 하면, 평생 죄책감에 시달리겠지만 결국 옆집 사람을 일러바치고 하느님을 모른다 할 것이다. 어쩌면 자식도 일러바칠지도 모른다. 그래서 성지를 방문하지 못했다. 성지를 방문하는 사람들은 모두 칼바람에도 굴하지 않고 꿋꿋이 신앙을 지켜나가는 사람들이라야 할 것 같았기 때문이다.

하지만 이제는 그런 생각을 하지 않으려 한다. 내 생애에 있을지 없을지 모를 그런 상황을 상상하면서 미리부터 죄인이 되려 하지 않겠다. 대신 나처럼 연약한 사람을 대신하여 돌아가신 분들이 순교자들이라고 마음 편히 생각하기로 했다.

마치 그런 내 마음에 응답이라도 주시는 듯, 십자가의 길 마지막에 예수님의 부활을 묵상하는 15처가 있다. 깜짝 놀랐다. 가톨릭 기도서에도, 대부분의 본당에서도 예수님이 무덤에 묻히시는 14처에서 십자가의 길 기도를 마친다. 하지만 예수님의 부활이 있기에 그 모든 고통이 의미가 있다. 사순시기에는 없는 고통도 만들어 내야 할 것 같은 시기가 아니라, 부활을 기다리며 매일 생활 안에서 '광야의 예수님 신비와 결합하는 시기(가톨릭교회 교리서)'임을 생각하면 더 자유롭고 기쁜 시간이 될 것이다. 언젠가는 가톨릭 기도서와 모든 본당에도 15처를 넣는 날이 오면 좋겠다.

처음에는 피하고 싶기만 한 무겁디무거운 마음이었지만, 돌아오는 길은 깃털처럼 가벼운 성지순례가 되었다.

서울 구경

신귀숙

서울 구경

서울의 봄
민들레가 노랗게 피는 예쁜 봄이 왔다.
4월의 따듯한 날.

1993년부터 서울살이 30년이 넘어간다.
아는 곳이라고는 다녀본 곳이 몇 곳 없는 그 몇 곳이 전부였다.

　서울 토박이 친구와의 식사 약속이 있었다. 40년 전의 시내는 종
로 명동 뭐 그랬다고 한다.

31빌딩의 역사를 들었다. 그 당시 가장 높은 빌딩으로 서울 시내의 명소라고 했다. 지금의 롯데타워처럼 말이다.

20년 전에는 63빌딩에 가보겠노라고 줄을 섰더랬다. 실상 서울에 사는 사람보다 시골에 계신 분들이 더 빨리 구경을 했다고 해도 과언이 아니다. 45인승 관광버스를 대절해 충청도 경상도 전라도에서 마구 상경을 했다. 여의도 근처에는 대형버스들이 즐비하게 주차를 하고 있었다. 63층이나 되는 고층 빌딩을 구경해 보겠노라는 희망이었다.

2024년 현재 한국에서 가장 높은 빌딩은 잠실에 롯데타워다.

123층.

화려한 불꽃놀이가 벌어질 때면 세상없이 멋진 곳이다. 아무것도 하지 않을 때도 123층의 그 모습이 웅장하다. 31빌딩을 말하다가 옆길로 가서 롯데타워를 말하고 있는 정신머리 좀 보소.

31빌딩 금룡이라는 중식당에서 맛있는 식사를 했다. 점심시간에 가장 저렴한 백룡코스로 선택을 했다. 소시민들이 점심으로 먹기에는 부담스러운 가격이었으나 1년을 잘 살아냈다는 스스로의 상이었다.

1년에 1번쯤은 호사를 부려도 된다는 주의다. 누구를 위해서?

나를 위해 세계 평화를 위해서 말이다. 가화만사성이란 말이 괜히 있는 게 아니다.

내가 나를 귀히 여길 줄 알아야 남들도 귀하게 여겨준다.

명심하고 스스로를 귀하게 여기시오들.

그렇다고 싸가지 없이 이기적이라는 뜻이 아니니 잘 이해하시기를요.

스프부터 한가지씩 나오는 요리는 정성의 결과물이었다.

언제 먹어도 행복할 것 같은 맛이었다.

고추기름 적당한 짜사이는 오도독오도독 씹는 소리가 일품이었다.

물론 맛도 좋았다.

동네 중국집에는 단무지와 양파가 나오니 귀한 찬이다. 평소에 먹지 못한다는 이유로 2번의 추가를 했다. 귀찮을 법도 한데 친절함이 묻어있는 직원이 고마웠다.

'항상 오늘만 같아라.' 즐겁고 행복하고 맛있는 기분이 충분한 날이었으면 좋겠다고 생각했다.

새우살이 탱글탱글 살아있는 칠리새우를 먹고 나니 부드러운 안심요리였다. 전분을 입혀 살짝 튀긴 후에 소스를 듬뿍 끼얹어서 나왔다. 소고기 안심 요리의 부드러움을 한껏 살렸다. 소스에 적셔져 쫀득한 튀김옷이 살살 녹았다. 중식의 특징이 강한 불에 튀기고 볶고 느끼할 만도 한데 산뜻했다. 코스요리는 조금씩 주는 것 같지만 먹다보면 배가 많이 불렀다.

"아휴 배불러" 하면서 넉두리를 하면서도 디저트까지 싹쓸이했다.

직접 구운 마들렌에 크림을 얹어 부드러운 촉감과 딸기맛 설탕으로 핑크빛을 연출했다. 눈으로만 먹어도 행복한 맛이었다.

　그저 한 점의 마들렌일 뿐인데 그 안에 있는 많은 과정과 재료들의 살아 어우러져 있었다. 먹는 것이 중요한 사람이기에 한 끼의 식사나 한 번의 간식도 소중하다.

　만드는 이의 정성과 노력으로 행복의 이유를 말해도 부족함이 없다.

　어쨌거나 맛있는 음식을 먹으며 한없이 행복했다. 앞으로도 쭉 맛있는 맛으로 행복을 추구할 것이다.

　청계천이 내려다보이는 곳에서 행복을 충전하고 걷기 시작했다.디저트까지 배불리 먹었으니 과한 칼로리는 태워주는 것이 현명하다.그저 오랜 지인과의 식사 약속이었을 뿐인데 새로운 경험의 시작이 됐다.

　그 유명한 탑골공원(파고다공원).

　차를 타고 지나쳐 갔지만 한 번도 가보지 못한 곳이었다. 할아버지들의 성지라고 들었는데 생각보다 많지 않았다. 도심의 아늑한 공원 같았다.

　손병희 열사의 동상과 독립선언문이 멋스럽게 세워져 있었다. 갑자기 애국심이 가슴 깊은 곳에서 꿈틀거리는 느낌이 들었다. 이런 역사의 산물로 인해 역사의식이 재충전되는 모양이다.

조선 세조 세대의 원각사지 석탑은 대형 아크릴박스로 보호되고 있었다. 세월이 오래되니 비바람을 견디기가 어려웠던 것 같다. 고이 모셔 놓은 자태가 아름다웠다. 평균 수명이 길어지는 것처럼 역사의 산물도 다양한 방법으로 길어지고 있었다.

탑골공원을 거쳐 그 유명한 인사동 골목길로 접어들었다.
아기자기한 가게들의 다양한 색감이 정겨웠다. 어서 오라고 손짓하는 상인들의 유혹을 떨치며 유유히 걸었다. 서울을 잘 표현할 수 있는 곳임에 틀림이 없다.
서울에 30년을 넘어 살면서도 서울에 대해 모르는 것이 너무 많아서 놀랐다.
덕분에 눈이 호강을 하고 마음이 젊어지는 호사를 누렸다. 요렇게 예쁜 곳이 인사동 골목에 숨어 있었다. 인사동의 골목골목을 지나 삼청동 길로 향했다.
삼청동의 느낌도 새로웠다. 언덕배기에 기와를 얹은 한옥이 세월을 거슬러 가 있는 것 같았고 셀카봉으로 사진을 담느라 바쁜 외국인들이 많이 보였다. 그 틈에 끼어 함께했다.
언제 다시 볼까마는 사진으로라도 남겨 놓고 싶은 욕심에 열심히 찍었다.

정독도서관 담벼락에 역사를 그려내고 있는 화가들은 사뭇 진지했다. 유관순 언니부터 독립운동의 주역들이 그려지고 있었다.

관광객들의 소음으로 힘든 주인장의 조용한 메시지가 정겨웠다.

핫플레이스의 조용한 비명을 참고해서 고성은 삼가기도 했다.

걷다 보니 청와대 춘추관 앞에 서 있었다.

예약을 해야 입장이 된다는 친구의 말을 무시하고 들어가도 되냐고 안내인에게 물었다.

현장 예약으로 바로 입장이 가능하다고 안내를 받았다.

"야호"

생각지도 않았던 청와대까지….

생각은 안 나지만 간밤에 좋은 꿈을 꿨나보다 했다.

티브이에서 많이 봤지만 직접 보다니 정말 기뻤다. 엄청난 규모에 반했고 잘 꾸며진 조경에 감동했다. 이렇게 좋은 곳이 있었더랬다. 촌스럽게 느낄지 몰라도 당당하게 한 컷 찍었다.

마치 이 저택의 주인이라도 되는 듯이 즐거웠다.

대통령은 어렵더라도 대통령의 아내가 되는 것이 어떨까 하는 생각을 잠시 했다.

이내 쑥스러워 그 생각을 거뒀지만, 잠깐이라도 행복했다.

행복한 여인

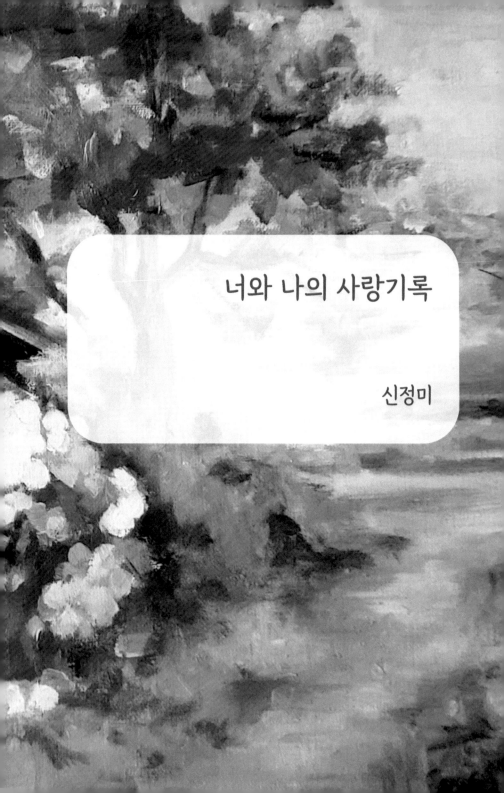

너와 나의 사랑기록

신정미

사랑해

　결혼한 지 1년하고 두 달 만에 나는 아기엄마가 되었다. 얼굴에 살이 포동포동 오르면서 예뻐지는 내 딸이 신기해서 시간 가는 줄 모르고 눈을 맞혔다. 까만 눈동자에 나를 담고 입을 오물거리는 아기가 귀엽고 사랑스러웠다. '눈에 넣어도 아프지 않다'라는 말의 뜻을 알게 되었다. 내 인생에 이렇게 소중한 생명체를 보내신 하나님께 감사를 드렸다.

　그런데 우리 아기는 열감기를 참 많이도 앓았다. 몸이 뜨겁고 손발이 차가워지면 어찌할 바를 몰라 아기와 같이 울었다. 아기를 업고 선 채로 잠들었다가 신문 넣는 소리, 우유 넣는 소리에 무릎이 접히면서 잠이 깨기도 했다. 한 번씩 아프고 나면 키가 쑥 자라있는 모습이 신기하면서도 감사했다. 어렵고 힘든 일을 겪고 나면 한 뼘씩 성장할 수 있도록 용기와 지지를 아끼지 않을 것을 결심하기까지 했다.

　아기를 키우면서 당연하면서도 놀라운 것 중 하나는 하루하루가 처음을 써 내려가는 역사라는것이다. 멈추지 않고 매일 조금씩 성장하는 아기는 어제 보지 못한 장면들을 선물로 주었다. 작은 입으로 옹알이하며 엄마라고 했을 때, 엄지발가락에 잔뜩 힘을 주고 동글동글한 발바닥으로 혼자 섰을 때, 땀을 뻘뻘 흘리고 끙끙대며 숟가락을 입에 넣었을 때 등등 아기의 모든 처음이 기쁘고 대견했다. 그 모습을 목격할 수 있음에 감사했다.

아이가 경험해야 하는 것 중에 제일 가치 있는 것이 부모의 무조건적인 사랑이라고 하는데 내 삶의 관점에서도 무조건적인 사랑이라는 숭고한 정신세계를 경험할 수 있었던 유일한 시간이었고, 정말 가치 있는 소중한 시간이었다.

미안해

전업주부가 된 나는 아이들과 일상을 보내는 것이 싫지 않았다. 아니, 좋았다. 아이들과 책 읽고 뛰어노는 게 재미있고 아이들이 끊임없이 질문에 답하면서 하나씩 배워가는 아이들을 보는 것도 보람 됐다.

초등입학 1년을 앞두고 우리의 사랑과 평화에 금이 가기 시작했다. 한글을 빨리 떼고 영어도 제법 하는 모습에 수학에까지 영역을 넓히려 했다. 사실 아이가 수학적인 것에 관심이 없다는 것을 알고 있었는데도 다른 아이들의 속도에 뒤처지지 않겠다는 욕심이 아이를 힘들게 했다. 전업주부이기에 아이를 더 잘 가르쳐서 나의 존재감을 남편과 친지, 친구들에게 어필하고자 하는 마음이 컸음을 인정한다.

동생과 4살이라는 나이 차는 또 얼마나 크게 느껴지던지 모범적인 언니 역할을 강조했다. 감사하게도 순수하고 착한 큰아이는 동생을 예뻐해 주었다. 청소년기에 들어서면서 자신의 감정을 잘 표현하지 않았다. 어려서는 표현하지 않아도 알 수 있었던 아이의 마음을 점점 알기 어려워졌다. 아이의 생각을 예단하고 참견하면서도 마음 한편에 미안함이 쌓였다.

방학이면 여행을 많이 다녔는데 그때마다 표정이 밝게 살아났다. 아이도 나도 그랬다. 여행 며칠 전 트렁크를 싸면서부터는 행복감과 기대감을 안고 대화를 많이 할 수 있었다. 여행지에서는 대화 중에 '사랑한다. 미안하다.' 이런 숨겼던 감정들도 자연스럽게 표현했다. 낯선 곳에서 가족들끼리 갖게 되는 유대감과 추억은 스트레스를 풀게 하고 상처받은 마음을 치유해 주었다. 여행앨범을 꺼내보는 아이를 보면 짠하게 느껴지기도 했다. 그래도 여행의 추억으로 오늘 힘들었던 일을 잊고 미소 짓는 모습이 다행이었다.

여행을 좋아하는 아이는 호텔리어라는 꿈을 갖게 되었다. 그 꿈이 오래가지는 않았지만 그래도 구체적인 첫 번째 꿈이었기에 응원했다. 호텔리어에 대해 알아보고 인터뷰도 하고 파일을 만들어 가며 제법 구체화 시키는 모습을 보였다. 앞에서 이끌어 주기보다 필요할 때 뒤에서 밀어주고, 지켜봐 주는 엄마가 되겠다고 생각하고 실천하려 노력했다.

대학동아리와 대외활동을 하면서 적극적인 모습으로 변해가는 큰 아이를 보면서 이제 확실히 나의 울타리를 벗어나고 있음을 알 수 있었다. 아이의 대학 생활과 연애 생활을 재미있게 듣다 보면 주책맞게 마치 다시 대학생이 된 기분을 느꼈다.

고마워

졸업 후 큰아이는 수출의 역군이 되었고, 얼마 전에는 출가외인이 되었다. 서른 전 결혼으로 지인들에게 효녀를 두었다는 웃지 못할 말을 듣게 됐다. 결혼식 메이킹필름 인터뷰 때 촌스럽게 눈물이 났다. 아이가 태어나서 지금까지 있었던 일들이 빨리 감기로 차르륵 지나가면서 잘 커 준 아이가 대견하고 고마웠다. 꽃 같은 신부는 결혼식 내내 아름다운 미소를 머금고 행복해했다. 감사와 기쁨의 눈물을 속으로 삼켰다.

우리 집에는 아직 가져가지 않은 큰아이의 물건들이 있다. 집에 올 때마다 조금씩 가져가 점점 방이 휑해진다. 내 마음도 그렇다. 저녁 먹으면서 하루 동안 있었던 일을 종알종알 말해 주던 큰아이가 그립다. 아이는 엄마에게 독립한 지 오랜데 나는 아직 진행 중이다.

새로운 꿈이 하나 생겼다. 행복한 할머니가 되는 것이다. 아이는 부모의 손에 키워져야 하는 것은 분명 하나, 조력자가 필요한 현실이기에 기꺼이 동참하려 한다. 어쩔 수 없이 손자를 키우는 것이 아니라, 아이를 행복하게 만들어 주는 할머니가 되고 싶다.

오랜 시간 보아 온 친지나 지인들의 자녀들을 보면 정말 대견하다. 사회의 일원이 되고, 가정을 이루면서 새로운 세대를 형성하는 그들이 자랑스럽기까지 하다. 아이들은 어른이 된다. 좋은 어른이 많아지기 위해서라도 먼저 어른이 된 세대는 아이들을 사랑과 존중으로 키워야 한다. '한 아이를 키우려면 온 마을이 필요하다'라는 말이 참 좋다. 이제는 기다릴 줄 알고 아이 그대로를 인정할 줄 아는 할머니가 되어서 사랑하고 존중해 주고 싶다.

　손자가 몹시 기다려진다.

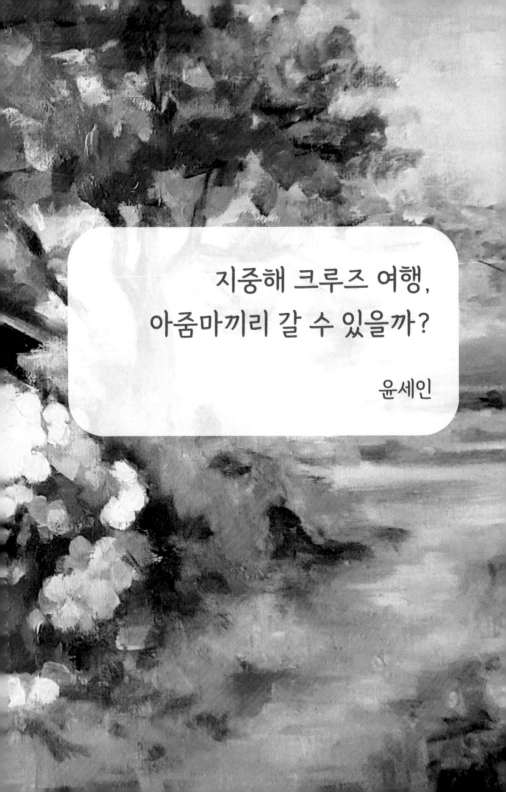

지중해 크루즈 여행, 아줌마끼리 갈 수 있을까?

윤세인

패키지도 No, 자유여행도 No,
아줌마의 로망은 크루즈 여행으로!

노천카페, Zara, 아울렛, 미술관, 재래시장, 미슐랭 스타....

아줌마들의 해외여행 로망들이다. 아들을 가진 50대 여성들, 우리는 아줌마이다. 우리는 곗돈을 부어 3년마다 한 번씩 해외여행을 다니는 십년지기 친구들이다. 맏언니 현숙 언니, 동기인 혜영이와 나, 막내인 현미이다. 처음엔 가까운 홍콩, 체코부터 시작하여 코로나 시절에 프랑스, 스위스, 이탈리아를 자유여행으로 다녀온 꽤 자유여행에 내공이 붙은 모임이다. 하지만 이제 나이가 들어 우리도 캐리어를 끌고 다니는 것이 힘에 부치고 편안한 숙소가 있어서 매일 짐을 싸지 않고 기차와 저가항공을 타기 위해 노심초사하지 않는 여행을 꿈꾸게 되었다.

그래서 이번엔 난생처음으로 '패키지' 여행을 하려 했다. 패키지 상품을 여행사에 문의했다. "돌아오는 항공기 일정을 며칠만 연장

가능한가요?" 물으니, 여행사는 "NO", 혹시 "일정 중에 Zara, 재래
시장에 가고 싶은데 자유시간이 있나요?" 물어봤지만, 여행사는
"NO", "한식보다는 백종원의 '장사 천재' 프로그램에 나온 타파스
와 핀초는?" 문의해도 여행사는 "NO"였다.

　시중에 나온 유명한 패키지 여행상품은 우리들의 로망을 만족시
켜 줄 수가 없다고 한다. 우리도 우리의 희망을 포기하고 싶지 않
았고 이런저런 궁리를 하다 막내 현미가 "그럼 크루즈는 어때요?"
하고 물었다. 그러면서 새로운 도전, "크루즈 여행"을 준비하게 됐
다. 크루즈 여행하면 홈쇼핑 광고에 항상 등장하는 럭셔리, 고가,
인솔자 이런 수식어가 따라다닌다. 하지만 아줌마들인 우리는 패키
지여행 상품 정도의 합리적 가격에 우리 스스로 자유롭게 보고 느
끼고 즐기고 싶은 것들을 만족시킬 만한 상품을 찾기 시작했다.

크루즈, 올인클루시브(all-inclusive) 리조트 같은 편안함과 다채로운 경험을 한 번에,

크루즈여행은 아파트 14~16층 정도 크기의 초대형 여객선으로 승객수는 많게는 1,500~3,500명까지 탄다. 배 안에서 먹고 자며 생활하다가 주요 기항지에 정박하면 내려서 한나절 구경하고 다시 배에 오르는 형식으로 여행한다. 숙박, 식사, 엔터테인먼트가 포함되어 한 번만 짐을 풀고 세계를 관광하는 것이다.

가족들을 위해 수영장, 미니 골프 & 볼링장, 아이들을 위한 다양한 클럽, 저녁마다 특별한 쇼도 무료로 제공한다. 더구나 매 끼니 여행지에서 무엇을 먹어야 하나 걱정하지 않고 하루 기본 3식이 무료로 제공되니 아줌마들에겐 더없이 좋다. 또 저녁은 정식 만찬뿐만 아니라 갈라 디너라는 파티 디너까지 있어서 멋진 드레스를 입고 영화의 한 장면 같은 로망을 실현할 수 있다. 이렇듯 크루즈 여행의 기본적인 패턴은 "정박지에서 승선→ 다음 날 아침 1차 기항지→ 기항지 부근 투어→ 밤에 출항→ 다음 날 아침 2차 기항지→…. 마지막 날, 출발했던 정박지로 귀항" 같은 순서가 반복된다. 그렇다면 이제 우리는 어디로 떠날까?

크루즈 여행의 첫 단추!
어느 도시에서 출발할까?

크루즈를 타고 바르셀로나에 갈 순 없을까?

애초에 이번 여행지로 스페인에 가기로 했었다. 날씨가 화창한 계절에 유럽을 만끽하기에 물가도 저렴하고 음식도 한국인의 입맛에 잘 맞을 것 같아서다. 또 거리의 노천카페에서 에스프레소 한잔, 예쁜 거리에서 사진도 찍고, 이런 것들을 충족하기에 스페인이 적당할 것 같았다. 패키지 상품에서 알아봤지만, 스페인 마지막 여정은 대게 바르셀로나였다. 그런데 우린 이제 크루즈로 간다. 그러면 크루즈를 타고 바르셀로나에 갈 순 없을까?

전 세계 크루즈 여행사 라인은 크게 알래스카, 아시아, 북유럽, 서유럽, 지중해, 캐러비안, 바하마 라인으로 나뉜다. 크루즈 선사는 가족을 위한 크루즈를 원한다면 카니발(Carnival), 프린세스(Princess), 로열 캐리비언(Royal Caribbean), 노르웨이(Norwegian), 디즈니(Disney), 셀러브리티(Celebrity), MSC 및 홀랜드 아메리카(MSC & Holland America)와 같은 크루즈 라인이

최저 1박당 75$ 달러까지 내려가는 대중적인 크루즈이다. 만일 전용 집사, 고급 편의시설 및 맞춤 여행을 원한다면 크리스탈 (Crystal), 씨번(Seabourn), 리젠트 세븐시즈(Regent Seven Seas), 오세아니아(Oceania) 및 실버씨(Silversea) 등의 크루즈 선사를 선택하면 된다.

물론, 우리는 대중적인 선사로 유럽과 지중해의 가장 많은 여행 경로를 가지고 있는 MSC 크루즈를 선택했다. 꼭 가고 싶은 곳, 바르셀로나로 두고 다음에 어디를 갈 것인지는 지도를 보며 살펴보기로 했다. 크루즈 여행 특성상 자고 나면 다른 나라, 다른 도시에 가 있게 될 가능성이 크다. 모두 바다를 접한 도시들이 관광지이다. 세계 지도, 스페인 바르셀로나를 포함한 바다는 서유럽 지중해 바다다. 지중해에 어떤 도시들이 있는지 살펴본 적이 있는가?

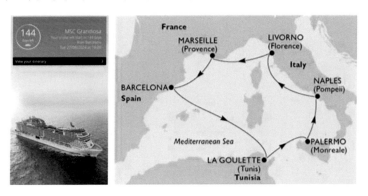

스페인의 바르셀로나, 발렌시아, 이비자, 튀니지의 카르타고, 이탈리아의 시칠리아섬 팔레르모, 메시나, 나폴리, 로마, 피렌체, 제노아, 모나코, 프랑스의 칸느, 니스, 마르세유 등이 주요 서부 지중해에 걸쳐 있는 큰 항구에 인접한 도시들이다.

일찍이 페니키아 문명, 그리스·로마, 동로마 & 비잔틴 시대, 중세 기독교 & 이슬람 시대를 거치는 역사가 지중해를 중심으로 그려졌다. 그래도 유럽 여행인데 고대 로마 시대의 아레나도 보아야 할 것 같고, 멋진 스테인드글라스가 있는 고딕 성당도 가 봐야 할 것 같고, 인상파, 야수파의 미술품도 감상해야 할 것 같고, 메시의 홈구장, 바르셀로나 '캄프 누'도 가 봐야 할 것 같다.

하지만 우리가 실제 관광할 수 있는 도시는 크루즈가 정박하는 도시가 된다. 유홍준 교수의 말처럼, 아는 것만큼 보이고, 속담에 있듯 아는 것이 많으면 먹고 싶은 것도 많아진다고 했던가. 당연히 우리가 배에서 내리는 도시들을 많이 공부할수록 한나절이란 우리에게 주어진 짧다면 짧고 길다고 하면 긴 여행지에서의 시간을 알차게 보낼 수 있다. 가장 좋은 방법은 각 도시의 Tourist information center 웹사이트에서 정보를 얻는 것이다. 예를 들면 바르셀로나의 경우, 공식 관광사이트 '바르셀로나 투어리즘'에서 city map, 교통정보, 관광 정보를 얻을 수 있다. 또한, 크루즈 터미널에서 Hop on and off(관광버스)를 타고 도심권으로 쉽게 들어가는 방법도 알 수 있다.

우린 바르셀로나에 크루즈가 출항하기 4일 전에 도착하는 것으로 계획을 세웠다. 왜냐하면, 크루즈 여행에선 첫 번째 기항지가 가장 중요하다. 우리가 만일 우리가 남프랑스의 아비뇽, 아를, 님 같은 도시를 여행하고 싶었다면, 첫 번째 기항지가 마르세유가 될 수 있었다. 우리가 선택하는 출발 도시가 여행의 시작점이고 우리는 좀 더 큰 원을 그려서 자유여행을 시작할 수 있다. 이것이 크루즈 여행의 장점이다. 대게 시작하는 도시에서 크루즈 여행도 끝난다. 다른 대안으로 로마와 피렌체 같은 이탈리아 도시를 더 여행하고 싶다면 로마나 피렌체 근처의 리브르노 또는 바리 같은 도시에서 크루즈 여행을 시작하면 당신이 크루즈 여행 전, 또는 끝난 후 며칠 더 자유여행으로 근방의 도시들을 탐색할 수 있다.

보통 크루즈 여행을 시작하는 날짜보다 하루 앞서 도착할 것을 권한다. 요즘은 비행기 결항, 지연도 많아 마음 편히 하루 진날 도착하여 천천히 첫 번째 도시를 즐기고 다음 날 천천히 배에 탑승하러 크루즈 터미널로 향하면 되는 것이다. 하지만 우리는 4일 앞서 도착하여 가우디의 도시, 바르셀로나에서 스페인을 만끽해보자고 의기투합했다.

따라 해 봐!
한 시간이면 끝나는 크루즈 여행 예약,

영어는 스마트 폰 APP, 파파고, 구글 번역기로 O.K!
문제는 Attitude야!

한데 문제가 발생했다. 우리 같은 아줌마들의 크루즈 여행에 가장 큰 걸림돌은 "영어"이다. 아직 대중적인 여행상품은 아니기에 크루즈 상품이나 예약, 크루즈 선내 생활 및 오락 등 모든 정보가 영어로 이루어져 있다. 하지만 요즘은 A.I 시대라고 하지 않던가?

우리 모임의 막내, 현미는 누구보다 스마트 폰 앱과 기기 번역 등 다채로운 무기들로 그런 장애를 어렵지 않게 극복하고 정보를 잘 해석하고 전달하고 있다.

사실 해외여행이든 크루즈 여행이든 가장 중요한 것은 언어보다 애티튜드(Attitude), 매너일 것이다. 상대방에 대한 배려와 존중만 있다면 요즘 같은 번역 앱과 실시간 번역되는 스마트 폰이 있어 천천히 의사소통하는 데는 문제가 없을 것이기 때문이다. 실제로 해외에서 눈살 찌푸리게 하는 여행객은 현지의 문화나 예절은 아랑곳 않고 본인의 편의만 내세우며 뻔뻔한 자태를 아무렇지 않게 하는 여행객이다. 우리도 아줌마라고 항상 무대뽀일 순 없다.

그럼, 예약을 시작해볼까?
크루즈 포털사이트에서 꼼꼼히 비교! 무료 혜택도 받자!

크루즈 선사는 위에서 말한 것 같이 여러 회사가 있어 각각 회사 홈페이지에서 상품을 찾아볼 수 있다. MSC나 로얄캐리비언 크루즈는 한국 지사를 두고 있어 한국어 홈페이지도 있다. 하지만 가격과 조건을 여러 군데 비교해보기 위해서는 포털사이트에서 크루즈 상품을 찾는 것이 더 효율적이다. 포털사이트로는 한국어 사이트 크루즈링크, 해외 사이트 크루즈다이렉트, 크루즈부킹등이 있다. 그리고 이런 사이트에서 제공하는 무료 음료 쿠폰이나 인터넷 와이파이 할인 혜택도 꼼꼼히 비교해 볼 수 있다. 또한, 특정 크루즈는 한 객실당 11세 미만의 어린이는 2명까지 무료로 예약이 가능하다. 물론 침대는 벙커 베드나 접이식이 될 수 있다는 점을 고려해야 한다.

포털사이트에 검색 조건들을 많이 구분해 놓았지만, 아래 4가지만 유념하면 자신에게 맞는 크루즈 여행 상품을 찾을 수 있다. 첫째 여행 시기, 둘째 주요 여행 지역, 셋째 여행 기간, 넷째출발 기항지를 찾아 검색하자! 그런 다음 여행상품 선택 → 기본 인적정보 입력 → 객실 선택 → 정찬 옵션 선택 → 결제(보증금)하면 끝이다.

첫째, 여행 시기는 우리는 2024.8~9월 초로 계획을 세웠다. 학생

들이 개학하고 현지 관광객들이 조금 줄어들기 시작하기 때문이다. 아줌마들은 추석 연휴 같은 기간엔 휴가를 쓸 수 없다. 크루즈는 보통 1년 앞서 여행상품이 나오기 때문에 2025년 상품까지 볼 수 있다. 그리고 조금이라도 저렴하게, 원하는 상품을 예약하기 위해선 최소 6개월 전에 예약할 것을 권한다. 전 세계 사람들이 찾는 상품이기 때문이다.

둘째. 여행지역으로 스페인이 포함된 지중해 지역(MEDITERRANEAN)을 선택한다. 크루즈의 주요 여행지역으로는 알래스카, 아시아, 바하마, 버뮤다, 카리브해, 유럽, 북유럽, 멕시코, 호주 지역 등이 있다.

셋째. 여행 기간으로 보통 크루즈는 짧게는 3~5일, 6~9일, 10~14일, 2주 이상으로 나뉜다. 대개 6~9일 여행 기간인 크루즈 상품이 가장 많다. 우리는 아줌마끼리 자유여행으로 3박 4일 정도를 계획하고 있어 크루즈는 7박 8일 정도로 맞추기로 했다.

넷째. 출발 기항지 도시를 선택할 수 있다. 이때는 구글 지도를 놓고 검색하기를 권한다. 큰 항구 도시들이 어디에 있고 근처에 갈 만한 여행지가 있는지 지도를 보며 출발지역을 고르면 떠나는 날, 도착하는 날 시간을 허비하지 않고 여행지를 알차게 구석구석을 구경할 수 있다.

비행기 좌석처럼 자신의 기호에 맞게 크루즈 객실을 선택하자!

위처럼 검색하면 몇몇 추천 상품이 검색된다. 이후 자신에게 맞는 상품을 선택하면 이제 여행 가는 사람 인적정보를 기재하게 되어있다. 처음 예약할 때는 영문 이름(여권상 동일하게), 나이, 성별, 국적 정도만 구분하기에 여권 번호 등은 준비하지 않아도 된다. 그 다음은 객실을 선택한다. 객실 옵션은 우리가 흔히 이용하는 비행기 좌석 옵션과 같다고 생각하면 된다. 크루즈 선실은 크게 4가지가 있다. 인 케빈, 오션뷰, 발코니, 스위트 룸이다. 가장 저렴한 것은 인 케빈으로 1박당 80$대도 있다. 인 케빈(interior room)은 배의 가장 안쪽에 자리 잡아 바깥 창문이 없고 침대와 욕실로 가장 기본적인 구성으로 되어있다. 크루즈 다른 시설을 많이 이용하고 잠만 잘 목적이면 인 케빈도 나쁘지 않다. 하지만 좀 답답한 것은 사실이다. 그 위의 레벨로 오션뷰(oceanview room)는 동그란 창하나가 있지만, 창문을 열 수는 없는 룸이다. 답답함은 조금 덜하고 인 케빈보단 조금 넓다.

그 다음은 발코니(balcony room)로 룸에 발코니가 있고 조그만 탁자와 의자가 놓여있어 바다를 보며 힐링하기에 좋은 방이다. 대게 더블 침대에 간단한 소파와 탁자도 갖춰져 있다. 인 케빈 룸보다 1박당 30~40$ 비싸다. 그리고 가장 좋은 룸은 역시 비행기 일등석처럼 스위트(suit room) 룸이다.

객실의 종류를 고르고 나면 위치를 고르게 되어있다. 큰 배여서 멀미는 덜하지만, 밤에는 배가 파도 타는 것이 약간 느껴지기도 한다. 멀미에 약한 사람은 배의 중앙 쪽을 권하지만, 각종 편의시설과 식당들이 위치하여 좀 시끄럽기도 하다. 위로 갈수록 경치도 좋고 쾌적하지만 약간 배의 움직임을 느낄 수 있다. 뱃머리가 좀 더 출렁거린다면 배 후반부는 엔진소리가 크게 들릴 수 있는 각기 장단점이 있으니, 자신의 기호에 맞게 고른다.

우리는 발코니룸으로 14층, 배의 중앙부에 위치한 객실을 골랐다. 비행기처럼 크루즈에서도 객실의 등급에 따라 입실과 퇴실이 더 빨라지고 더 느려진다. 그리고 마지막 단계로 저녁 정찬 시간을 고르게 되어있다. 크루즈에서의 저녁은 기본 3코스로 이루어지는 정찬이 제공되는데 이른 저녁 시간은 대개 6시 1부와 7시 30분 정도에 시작하는 2부를 크루즈 예약 시 선택하게 되어있다. 기타 아침은 뷔페나 룸서비스로, 점심도 기본 제공되고 스낵바도 하루 종일 열리므로 '무엇을 먹을까?'는 고민하지 않아도 된다. 이렇게 기본 예약을 완료하면 1차 보증금을 일부 내고 나머지 잔금은 따로 납기 기일을 지정해 준다. 물론 이때 항만세와 부가가치세가 부과되는데 나중에 크루즈 여행이 끝날 때 내는 선상세(크루즈내 시설 이용 팁)와는 별도라는 점을 알아둬야 한다.

그럼, 이제 크루즈 여행 준비는 끝났다? 아니 시작이다. 여행은 공부라니까…. 크루즈 여행 준비, 크루즈 이용 팁과 에티켓, 크루즈 액티비티, 기항지 투어등을 알아보자. 현미, 혜영, 현숙, 세인 아줌마 4명의 좌충우돌 크루즈 여행기는 이제 시작이다. 바르셀로나를 시작으로 튀니지 카르타고, 시칠리아의 팔레르모, 이탈리아 나폴리와 폼페이 카프리섬, 피렌체, 시에나와 투스카니지방, 프랑스 마르세유를 구석 구석 탐험하자, Let`s Go!

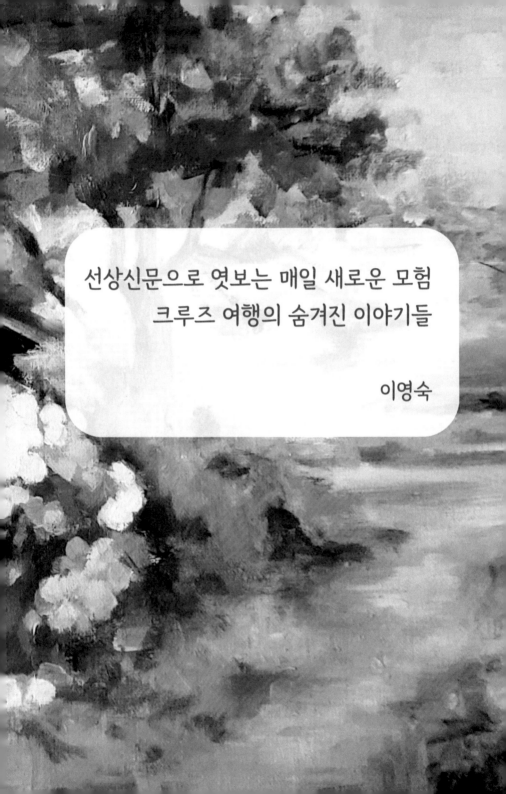

선상신문으로 엿보는 매일 새로운 모험
크루즈 여행의 숨겨진 이야기들

이영숙

선상신문의 비밀:
크루즈 여행의 매력에 대한 새로운 시선

부모님과 함께 한 크루즈 여행은 우리 가족에게는 예상치 못한 특별한 경험이었다. 특히, 부모님은 80대의 나이에도 불구하고 여행에 대한 열망이 늘 컸다. 그러던 어느 날, 우연히 크루즈 여행이 우리 앞으로 다가왔다.

여행사에서 일하는 친구의 동생이 크루즈 여행을 강력히 추천해 주었다. 그녀는 가격 대비 훌륭한 서비스와 경험을 약속했고, 우리는 그녀의 권유를 받아들여 크루즈 여행에 동의했다. 이 여행은 이미 크루즈 여행 모객이 마감되고, 남은 몇 자리 중 일부티켓을 우리 가족이 차지하는 특별한 크루즈 여행이었다. 보통 마감임박 여행이라고 하면 일반 가격보다 더 좋은 가격으로 여행할 수 있는 기회가 주어졌다.

크루즈 여행 출발이 임박해서였는지 마음이 급해서였는지 이번 여행에 관해서 마땅한 준비를 하지 못했다. 그러나 선상에서 1박을 하면서 크루즈에서 앞으로 다가올 일정에 대해선 전혀 걱정할 필요가 없었다. 매일 새벽에 슬그머니 찾아오는 정보원이 있었기 때문이다.

유람선 여행 시작의 문을 열어 준 선상신문은 작은 신비한 안내서이자 우리의 여행을 풍요롭게 만들어 주는 보물 같았다. 매일 아침, 눈을 뜨면서 선상신문을 찾았다. 두근거림으로 하루의 시작을 탁월하게 만들어 준 선상신문은 나에게는 매일매일이 새로운 하루였다.

종이 위에 펼쳐진 선상신문은 크루즈 여행의 핵심 정보를 알려준다. 주요 행사, 투어 정보, 그리고 다양한 서비스 소식이 이곳에 담겨 있다. 더불어, 다가오는 하루의 일정을 알려주는 선상신문은 우리 여행을 더욱 흥미롭게 만들어 준다.

기항지의 도착 시간과 날씨를 알려주었고, 저녁 식사를 위한 드레스 코드는 우리의 마음을 설레게 했다. 레스토랑 운영 시간, 액티비티 일정, 그리고 선상에서 펼쳐지는 다채로운 프로그램들은 우리의 일상을 잊게 만들었다. 아이가 함께하는 가족이라면 룸 어텐던트에게 부탁하면 선상신문과 함께 키즈클럽 프로그램도 받을 수 있다. 이러한 선상신문의 작은 조각들은 우리의 여행을 더욱 돋보이게 만들어 주었다. 그것은 마치 우리가 어떤 모험을 떠날지 모르는 세계로의 초대장이었다.

푸른 바다 위의 모험:
크루즈 여행에서 경험하는 다양한 활동과 이벤트

선상신문의 상세한 내용과 정보는 나를 아침부터 바삐 움직이게 했다. 크루즈 여행은 다양한 활동과 이벤트를 통해 여행자들에게 이색적인 경험을 제공한다. 선상에서는 수많은 활동과 이벤트가 열리며, 여행자들은 바다 위에서 색다른 모험을 즐길 수 있다.

크루즈 여행 중 가장 인기 있는 활동 중 하나는 수영장과 스파 시설을 이용하는 것이다. 크루즈선에는 수영장과 스파 시설이 마련되어 있어, 여행자들은 바다를 향한 시원한 수영이나 편안한 스파 마사지를 즐길 수 있다.

크루즈 여행 준비물을 챙기면서 수영을 못한다는 생각에 수영복을 준비할 생각은 하지도 않았다. 그러나 막상 수영장과 스파 시설을 보니 마음이 바뀌었다. 배 안에서 알게 된 몇몇 한국 사람들 중에는 수영복을 준비해 온 사람들이 있었는데, 크루즈 안에서 수영복을 입고 수영할 자신이 없다면서 선뜻 나에게 수영복을 빌려주셨다.

　따뜻한 스파에 몸을 담고 푸른 하늘을 바라보며, 주변의 풍경을 감상하는 것은 정말로 황홀한 경험이었다. 그 순간, 세상의 모든 걱정과 스트레스가 사라지고, 오로지 순수한 즐거움과 안락함에 몸을 맡길 수 있었다. 이 경험은 크루즈 여행의 매력을 다시 한번 깨닫게 해주었다.

　또한, 크루즈 여행 중에는 여러 종류의 레스토랑과 바가 있어 다채로운 음식과 음료를 즐길 수 있다. 매일 무제한 식사가 가능한 뷔페 레스토랑과 호텔 식사가 부럽지 않은 정찬 레스토랑이 있다.

정찬 레스토랑은 여행사별로 정해진 시간에 정해진 자리에 앉아서 식사했다. 우리는 뷔페 레스토랑이 편하기도 했고 음식도 맛있어서 이곳을 주로 이용했다. 특별히 부모님과 함께한 여행인데 먹는 거에 신경 쓰지 않아도 돼서 마음이 한결 가벼웠다. 부모님이 음식을 맛있게 드시는 모습과 행복한 미소, 만족스러운 표정을 보면서 진정한 효도의 의미를 깨닫게 되었다. 바다 풍경을 조망하며 다양한 인터내셔널 요리를 자유롭게 식사할 수 있는 즐거움은 크루즈 여행의 큰 장점이기도 했다.

바(bar)는 유료로 이용하는데 색다른 칵테일과 음료를 마실 수 있다. 공연을 관람하다 목이 말라서 마실 뭔가를 찾았던 기억이 난다. 음료 한 잔 마시면서 공연을 보니 즐거움도 배가 되었다.

크루즈 여행 중에는 다양한 이벤트와 엔터테인먼트 프로그램이 열린다. 쇼, 공연, 콘서트, 댄스파티 등 체험 이벤트를 통해 여행자들은 즐거운 시간을 보내며 새로운 사람들과의 만남을 즐길 수 있다.
특별히 기억에 남는 활동은 이태리 전문 무용수들이 가르쳐 주는 스포츠댄스이다. 이곳에서 스포츠댄스를 경험하면서, 춤추는 것에 자신이 없었는데 자신감을 찾을 수 있게 되었다. 스포츠댄스는 말 그대로 스포츠처럼 단순한 동작을 가르쳐 주고 따라 한다. 마치 우리나라 전 국민이 알고 있는 국민체조처럼 기교가 필요하지 않았다. 이러한 특성 덕분에 쉽게 따라 할 수 있었고, 그 과정에서 즐거움을 느낄 수 있었다.

나처럼 모든 댄스타임에 빠지지 않고 참여해서 눈인사를 나누던 일본인 여자와 친구가 되었다. 그녀는 오사카에서 왔으며, 아들이 와세다대학에 합격한 기념으로 함께 크루즈 여행을 왔다. 그녀와는 기본적인 대화 수준인 영어와 바디랭귀지로 친구가 되었고 서로의 연락처를 교환했다.

  새로운 사람들과의 만남을 통해 소중한 인연을 만들고, 즐거운 시간을 보내며 여행의 즐거움을 함께 누릴 수 있는 특별한 시간이었다.

길게 남을 추억:
크루즈 여행에서의 특별한 순간들

　선상에서의 적극적인 활동이나 경험은 남다른 추억을 남기는 잊지 못할 순간들을 제공한다.

　크루즈 여행에서의 특별한 순간 중 첫 번째는 석양이나 일출을 감상하는 것이다. 바다 위에서 펼쳐진 일몰의 아름다운 풍경은 마치 황금빛으로 물든 캔버스 위에 자연이 자신만의 예술을 펼치는 듯했다. 이는 나에게 극적이고 감동적인 순간으로 남아, 일상의 모든 걱정과 스트레스를 잊게 해 주었다.

　나는 선상에서 일몰과 함께 선내면세점에서 구입한 반짝이 숄로 다양한 분위기를 연출하며, 배에서 만난 새로운 인연들과 함께 소중한 순간을 사진에 담았다. 묘한 표정으로 일몰을 바라보며 찍은 사진을 보면 그 당시 상황이 생생하게 떠올라 웃음이 나오곤 한다. 바다의 파란 물결과 일몰이 어우러진 그 순간을 눈으로 마음으로 사진으로 한가득 담았다.

크루즈 여행에서의 특별한 순간 두 번째는 다양한 관광지를 방문하는 것이다. 크루즈선은 여러 도시와 섬을 경유하여 여행자들에게 관광 체험의 기회를 제공한다. 이를 통해 여행자들은 세계 각국의 문화와 역사를 체험하고, 새로운 경험을 쌓을 수 있다.

이번 크루즈의 경유지는 니이가타와 하코다테이다.

니이가타는 홋카이도에 위치한 도시로 아름다운 자연과 풍부한 문화유산, 맛있는 음식들로 가득 찬 곳이다. 일본의 명산인 후지산과 갈마호 호수를 비롯한 아름다운 자연경관이 있다. 니이가타는 에치고, 미쿠니, 히다산맥에 둘러싸인 자연과 가까운 도시이다.

　드넓은 곡창지대의 본고장인 이곳은 고시히카리 쌀로 만든 맑고 깔끔한 사케로 유명하다. 우리나라 돈으로 3만 원대 하는 사케 한 병을 샀다.

　이어서 간 곳은 니이가타 시청 타워이다. 시청 건물의 전망대로, 니이가타 시내의 멋진 전망을 즐길 수 있다. 통유리로 되어 있어 니이카타 전체를 조망할 수 있었다. 항구와 도시가 조화롭게 어우러진 모습이 인상적이었다.

　두 번째 기항지는 하코다테이다.

하코다테는 북해도에 위치한 세계 3대 야경으로 유명한 밤하늘이 멋진 도시이다.

북해도 남단에 위치한 이곳은 항구도시로 발달되었다. 일본에서 가장 먼저 개항한 곳으로 서양식 건축물들이 남아있는 독특한 곳이다. 야경뿐 아니라 유서 깊은 건축물들, 사계절 아름다운 자연경관, 맛있는 음식, 몸에 좋은 온천까지 관람지와 즐길 거리가 가득한 곳이다.

하코다테의 `하치만자카 언덕길`은 조용한 시골 동네였다. 로맨스 영화 `러브레터`의 촬영지로서, 관광객들이 찾아오면서 현재는 하코다테의 가장 유명한 관광명소가 되었다. 언덕에서 시작되어 일자로 뻗어진 길 끝에 위치한 하코다테 항구와 배는 아름다운 풍경을 완벽하게 그려내고 있다.

모토마치 공원은 바다와 시내가 내려다보이는 전망이 좋은 곳이다. 일본 야경 명소, 하코다테 산 전망대에 올라갔다가 언덕을 내려오는 길에는 다양한 문화유적지가 있다. 모토마치 교회, 구 하코다테 공화당, 하코다테 구 영국 영사관 등이 주변에 있다. 동네 산책 겸 유유자적 여행자의 여유를 가지고 이곳저곳 발도장을 찍는 즐거운 시간을 가졌다.

크루즈 여행에서의 특별한 순간 세 번째는 크루즈 선내에서 여러 테마에 맞는 이벤트와 축제를 열어 여행자들에게 다양한 경험을 제공한다. 유람선 내에서는 기항지 여행을 마치고 크루즈선으로 들어온 한국인들을 향한 뜻깊은 배려가 기다리고 있었다. 바로 한국인을 위한 특별한 이벤트 파티였다. 우리와 함께 한 한국인 가이드는 이런 일이 처음이라며 놀라워했다. 이 이벤트를 열어 준 이유는 여러 나라에서 온 많은 사람들이 한꺼번에 하선하면서 한국인들이 불편함을 겪었다는 내용이 관계자들한테 전해 진 것이다. 크루즈 선내 직원들이 한국인 승객들에게 잘못된 하선 출구 정보를 전달하여 계단을 올라가고 내려가는 일이 반복되었다. 이에 대한 크루즈 측의 미안함을 표현하기 위해 차별화된 한국인을 위한 파티가 열렸다.

부모님과 함께 대극장으로 향하는 그 순간, 감동적인 장면이 펼쳐졌다. 무대 앞 테이블에는 한국 국기가 그려진 떡케이크와 와인이 준비되어 있었는데, 그 풍경이 마치 우리의 문화와 아름다운 연결 고리를 상징하는 듯했다. 한국인들이 모여 와인을 마시며 함께하는 이 파티는 한민족이라는 연대감으로 어우러지는 소중한 시간이었다.

브루스 타임이 시작되자, 파티 진행자가 `선장님과 같이 춤추실 분 나오세요`하는데, 한국인들 중 아무도 선뜻 나서는 이가 없었다. 그러자 나는 용기를 내어 앞으로 나갔는데, 박수 소리와 함께 선장님과 춤을 췄다. 바다 향기를 품고 우아한 미소를 짓는 선장님과 부족한 영어로 대화하면서 짧은 브루스타임이 끝났다. 그냥 지나칠 수도 있었을 일들을 놓치지 않고 이색적인 이벤트까지 열어 준 크루즈 관계자분들께 지면으로나마 감사의 마음을 전하고 싶다. 한국인을 위한 독창적인 이벤트로 잊지 못할 추억의 한 장이 되었다.

여행을 마치고 선상신문을 다시 보니, 그 안에는 우리가 경험한 모든 순간들이 담겨 있었다.

크루즈 여행에서의 선상신문을 통한 정보와 나의 적극적인 활동은 눈부신 경험으로 남았다. 탁 트인 시원한 바닷바람을 맞이하며 갑판 위에서 일몰을 배경으로 기분 좋은 산책을 즐길 수 있었고, 뷔페 레스토랑과 바에서의 다채로운 음식과 음료는 여행의 즐거움을 더했다. 또한, 선내에서 열리는 많은 이벤트와 축제는 특별한 추억과 만남을 안겨주었는데, 특히 한국인을 위한 특별한 이벤트는 크루즈 선내의 배려심을 느낄 수 있었다. 이 모든 경험이 크루즈 여행의 매력과 가치를 다시 한번 확인하는 계기가 되었다. 부모님과 함께한 소중한 순간들을 기억하게 해준 선상신문은 새로운 발견과 경험을 안내하는 나의 여행 나침반이다.

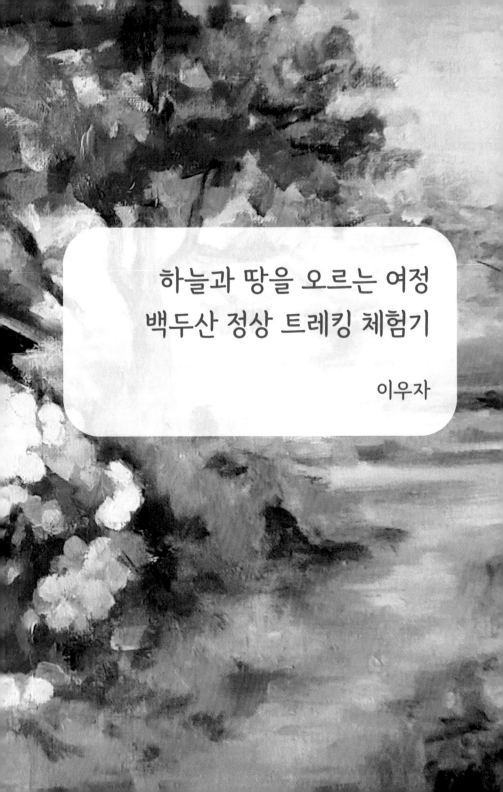

하늘과 땅을 오르는 여정
백두산 정상 트레킹 체험기

이우자

하늘과 땅을 오르는 여정

오랫동안 꿈꿔 왔던 백두산 4박 5일 여정을 떠나는 날이다. 이른 아침 여행 준비물 안내 점검표를 재확인 후 설레는 기분으로 출발했다. 코로나 이후 처음 떠나는 여행이라서 건강 문제가 염려되지만, 홀쩍 떠나는 용기가 필요했다. 마침 23년간 여행사를 운영하는 k 영상회장 정두영 대표가 운영하는 한네트 여행사 추억 만들기 프로그램 대한항공 백두산 직항에 탑승했다. 비행기 탑승 후 2시간을 지나 연변 조선족 자치주 수도인 연길 국제공항에 도착했다. 동포들이 많이 사는 곳이라서 그런지 첫 방문지인데도 낯설지 않았다. 깔끔한 거리와 환경이 한국과 차이가 없는 것 같았다. 공항에서부터 큐알 코드로 간단한 심사를 했다. 최첨단 시스템 구축과 변화된 시민의식 질서를 느낄 수 있었다. 몇 년 사이에 확 달라진 중국 모습이다.

10년 전 중국을 대표하는 금융도시 상해와 북경을 방문했을 때와는 너무도 많이 변해 있었다. 첫 방문지 일송정을 향해 버스가 달린다. 현지 가이드가 해란 강을 가리키는데 즐겨 부르던 선구자가 떠오른다. 용정 시내에 1880년경 한국인이 처음 발견했다는 '용정(龙井)'이란 우물이 있었다. 용정은 북간도의 대표적인 독립운동기지로 가곡 선구자 2절에 나오는 '용두레 우물'이 있다. 용두레 우물가에 말 달리던 선구자 이 노래를 흥얼거릴 때마다 가슴이 뭉클했는데 거룡우호공원 용두레 우물 그곳에 와 있으니 어찌 감격스럽지 않겠는가?

연길시장은 북간도의 후예들이 우리 말을 크게 외치며 장사하는 곳으로 60, 70년대 우리나라의 남대문 시장을 연상케 한다. 중국에 와서 말이 통하지 않던 것이 이곳에 오면 시원하게 해결된다. 동포끼리라는 것을 내세워 물건을 비교적 싼 값으로 살 수 있다. 그러나 연길 사람들은 중국의 다른 곳에 사는 교포들로부터 연변 깍쟁이라는 말을 들을 만큼 똑똑하다는 것에 유의할 필요가 있다. 시장 안에는 연변 특산품을 비롯하여 순대와 족발 등을 파는 곳까지 있어 발길 닿는 곳마다 흥취가 난다. 전통적인 한식도 여기에서는 싼값에 사 먹을 수 있다.

한국의 숨결이 살아 있는 도시 연길(용두레 우물) 연변조선족자치주인 연길은 중국 조선족 문화의 중심지로 백두산과 가까워 매년 많은 한국 여행객이 방문하는 곳이다. 사람들의 옷차림, 집, 길거리를 둘러봐도 전혀 낯설지 않은, 우리나라에 있는 듯한 느낌을 받았다. 이는 소수민족이 모여 사는 자치주 스스로 그 민족 나름대로 지역을 가꾸어 나가도록 하는 중국 정부의 소수민족 우대 정책에 따라 연변 자치주 내의 정부 기관이나 신문 광고 등에 조선족 자체의 문자를 우선으로 쓰기 때문에 연변의 거의 모든 옥의 광고가 한글로 되어있고 중국어와 함께 쓴다는 가이드의 설명이 흡족했다. 첫날 연길 도착 후 비암산 풍경구에서 식사하고 용정 관광을 위해 달리는 창밖에는 옥수수밭이 끝없이 펼쳐졌다. 처음 보는 풍경이라 신기했다. 30분이 지날 즈음 현지 가이드가 해란강을 가리키는데 달리는 버스라서 순식간에 지나가 버린다. 문득 즐겨 부르던 가곡 선구자가 떠오른다.

1880년경 한국인이 처음 발견하였다는 '용정(龙井)'이란 우물이 있었다. 용정은 북간도의 대표적인 독립운동기지로 가곡 선구자 2절에 나오는 '용두레 우물'이다. 용두레 우물가에 말 달리던 선구자 이 노래를 흥얼거릴 때마다 가슴이 뭉클했다. 일송정과 해란강을 바라보며 선구자를 합창하며 서 있으니 어찌 감격스럽지 않겠는가? 연길에서 용정으로 가는 길 비암산 위에 작은 정자가 눈에 띄는데 이것이 그 유명한 '일송정'이다. 전에는 늠름한 자태의 소나무 한 그루가 있었다는데 빈약한 작은 소나무 한 그루가 있었다. 산 아래 우리 민족에겐 의미가 있는 해란 강이 보인다. 오래전 소나무 한 그루가 서 있었고 소나무 밑에서 독립운동가들이 모여 항일 의지를 불태우던 곳이다. 누군가 소나무에 구멍을 뚫고 약품을 넣어 일송정을 고사시켰다고 전해진다.

1980년대 후반 중국 정부 당국에서 이곳에 '일송정'이라는 이름의 정자를 건립하여 이를 기념하고 있다. 조국을 위해 이역만리 낯선 곳에서 조국애를 불태웠던 선열들을 생각하며 선구자 노래 가사에 담긴 역사적 상징성을 새겨 보았다. 용정을 배경으로 태어난 가곡 선구자는 윤해영이 북간도 용정을 배경으로 작시한 것으로, 조두남이 작곡했다. 가사 첫머리의 일송정은 독립투사들이 오가며 쉬던 곳이다. 해란강은 그 옆을 흐르는 강 이름이다. 선구자에 언급된 이유는 우리 민족이 간도 지방에 처음 자리를 잡은 곳이 해란 강 주변의 들판이었고, 그 중심 젖줄이 해란 강이기 때문이다. 시간이 멈춘 듯한 평온함을 느꼈던 곳 이 장소가 내게 특별함으로 다가오는 것은 국가 행사나 경축일 날 애국가를 부를 때 가슴이 늘 뭉클했고 깊은 조국애를 느꼈다. 때론 애국자의 비장함으로 충성스러운 1인으로 살아왔기 때문이라 생각된다.

윤동주 시인의 발자취를 따라서 가다

민족시인 윤동주가 다녔던 명동 학교는 용정 제일중학교(龍井第一中學校)로 명칭이 바뀌었으며, 실제로 학생들이 이곳에서 공부하고 있다. 죽는 날까지 하늘을 우러러 한 점 부끄럼이 없기를…. 일행은 서시를 읊으며 시인이 살았던 시대와 삶을 조금이나마 이해할 수 있었다. 근현대사의 문화유산 윤동주 생가와 명동 학교에서 사진도 찍고 윤동주와 관련된 역사와 문화를 알아가는 의미 있는 시간을 보냈다.

　꿈의 버킷리스트가 실현되는 날이 밝았다. 오전 7시에 출발했다. 현지 가이드의 친절한 안내가 시작되었다. 변화무쌍한 백두산의 날씨를 알 수는 없지만 덕을 쌓은 분들이 많은 것 같아서 백두산 천지를 볼 수 있을 것 같다며 기분 좋은 인사치레로 아침을 열어 주었다. 90분이 소요되는 서 백두산 산문으로 이동 후 다시 또 환보 차로 환차 하여 50분 정도 소요되는 곳을 향해 버스에 탑승했다. 중소형 버스 여러 대가 관광객을 부지런히 실어 날랐다. 산 중턱에 내린 것 같아서 위를 쳐다보니. 저만치에 정상이 보였다. 많은 사람이 계단을 올라가고 있었다. 목말을 탄 아이와 아빠의 부성애 혼자 걷기도 힘든 길에서 기억에 남는 장면이다. 서파 코스 1,442계단을 올라갈 일이 까마득해 보였다. 한 계단씩 옮기는 발걸음이 가벼웠다. 언제 도착할 수 있을까 싶었지만, 이 정도 컨디션이면 단숨에 오를 듯했다.

　잠깐 쉬는 동안 눈에 들어오는 풍경이 경이롭다. 기도하는 마음으로 묵상하듯 한 발 두 발 옮기다 보면 어느새 천지 정상에 도착할 것이다. 정상 가까이에서 올라온 길 돌아보며 외치는 환호 소리는 일행들을 행복하게 했다. 동화 속 풍경처럼 아름다운 천지의 청록빛에 마음을 담으며, 자연의 아름다움에 감탄했다. 청록빛에 마음을 담는 순간을 평생 잊지 못할 것이다. 한눈에 담자니 벅차다. 감격과 마음이 하나 되는 순간이다.

환상과 신비의 드라마를 보다

꿈의 버킷리스트 실현의 기쁨을 백두산 천지 청옥 빛으로 물들였다. 민족 영산에서 최고의 인생 맛을 즐겼다. 이런 순간이 많을수록 행복 수치가 높아질 것 같다. 여행을 자주 다녀야겠다. 사진과 영상 추억을 남기기 위한 자리 쟁탈전이 심했다. 우리 일행은 약간 한적한 곳에서 애국가를 합창하며 애국심 고취와 함께 소중한 추억을 만들었다. 정 회장님의 특별 배려로 일행은 오랜 시간 정상에서 머무를 수 있었고 천지를 맘껏 느끼고 감상했다. 해외를 나가면 애국자가 된다더니 내 나라의 소중함을 다시 한번 느꼈다.

아름다운 풍경 따라 주변을 보는데 빙 둘러쳐 놓은 경계선이 발길을 막는다. 관광객 대다수가 중국인들이다. 그들도 나와 같은 기분인지 비경에 흥분된 듯 주고받는 대화의 톤이 크다. 모두가 몰입되어 있으니 시끄럽다는 느낌도 묻힌다. 천지 호수가 보듬어주는 큰 그릇에 마음이 풍덩 빠져 버렸다. 가이드의 배려로 우리 일행은 긴 시간 동안 정상에서 참 행복을 즐겼다. 기쁨의 순간을 사진과 영상에 담으며 만세 삼창으로 마무리했다. 일정이 신비와 즐거움이 함께하는 프로그램이라서 총총걸음을 옮겨 다음 코스로 발길을 옮겼다.

　점심은 서파 산장 식당에서 비빔밥을 먹고 백두산 남쪽 기슭에 있는 고산지대인 금강대 협곡 고산 화원을 탐방했다. 울창한 숲과 기암괴석, 폭포, 계곡 등이 어우러진 장관을 보았다. 맑은 공기는 여행의 피로를 풀어 주었다. 저녁 식사는 진달래 식당에서 여유 있게 술도 나누며 삼겹살 구이와 향이 좋고 쫄깃한 백두산 자연 송이버섯을 먹었다. 고기 맛도 좋았고 일행이 푸짐하게 먹도록 배려한 한네트여행사 대표님과 동행하신 일행이 일부를 후원해 주셨다. 덕분에 저녁 식사 시간이 푸짐하고 즐거웠다. 천지 구경도 잘 하고 기분 좋은 일정이었는데 맛있는 음식을 먹으며 감사한 마음을 전했다. 호텔에 복귀 후 전신 마사지로 피로를 풀고 포근한 숙면을 했다.

숙소에서 도보 5분 이동 후 환보차로 50분 소요 되는 삼거리 주차장에 도착했다. 지프로 이동 후 하차를 하니 천문봉 등정하는 사람들이 줄을 지어 오르고 있었다. 백두산 북파에서 쪽빛으로 물든 천지를 보면서, 우리나라의 아름다운 자연에 다시 한번 감탄했다. 보면 볼수록 더 보고 싶고 신비 속으로 빠져들게 했다. 백두산 북파에서 볼 수 있는 봉우리는 모두 16개이다. 가장 높은 최고봉인 천지 봉을 중심으로 원을 그리듯이 모여 있다. 올라온 길을 다시 돌아봐도 또 보고 싶은 풍경들이다. 버스가 승차 인원을 가득 태운 후 가파른 길을 올라간다. 유일하게 오르내리는 차량은 모양이 같은 소속 차량뿐이다. 중국 정부 기관에서 운영한단다. 돌고 돌아 이리저리 쏠리며 한참을 달려가서 하차했다.

마케팅 차원의 홍보 전략인가? 손님 없는 빈 수레가 중간중간 올라간다. 갑자기 힘들어할 고객을 위한 고객 서비스? 참 고마운 교통수단이다. 중국과 국경에 있는 화산을 중국에서는 장백산(長白山)이라고 부른다. 백두산 최고봉인 천지봉은 해발 2,744m 봉우리 모양이 마치 엎어 놓은 밥그릇처럼 생겼다고 해서 '천지봉'이라는 이름이 붙었다. 험준한 산세를 자랑하며, 등산을 좋아하는 사람들에게 인기 있는 산이다.

정상에 천지라는 호수가 있는데 해발 2,194m에 자리 잡고 있다. 둘레가 약 14km에 달한다. 천지는 빙하가 녹아 생긴 호수로, 맑고 푸른 물빛이 아름다워 사람들의 사랑을 받고 있었다. 천지의 포토 존은 발 디딜 틈 없이 북적거렸고 사진 찍기도 어려웠다. 천지 봉에서 북쪽으로 약 1.5km 떨어져 있는 장군봉은 해발 2,743m로, 천지봉 다음으로 높은 봉우리이다. 봉우리 모양이 마치 장군이 칼을 든 것처럼 생겼다고 해서 '장군봉'이라는 이름이 붙었다. 천지 봉에 비해 등산 난도가 낮아, 많은 사람이 찾는 산이다.

올라갈 때는 호기심과 설렘으로 앞만 보고 오르다 보니 정상까지 힘든 줄 모르고 올라왔다. 내려가는 길을 보니 까마득하다. 하산하기가 더 힘이 드는 것 같다. 아직은 백신 후유증이 남아 있어서 그런지 건강에 무리인 느낌이 들어서 인력거 가격을 물어보았다. 왕복 18만 원 내려갈 때는 10만 원 그들은 거의 쉬고 있었지만, 가격 흥정을 하지 않았다. 돈이 아까워 쉬면서 걸어 내려가기로 했다. 시선을 멈추고 내려다본 산 아래 구름과 자연이 친구가 되어 주었다. 하산 길에서 만난 모든 것이 나를 즐겁게 했다. 인생 사는 맛 이런 것이란 생각이 구름처럼 몰려온다. 티 없이 맑은 어린아이처럼 행복했다. 얼굴이 환해졌다. 세상 때 묻지 않은 모습으로 살고 싶은데 환경이 나를 잡고 있었다. 가정이나 직장 사회 구성원으로서 맡은 임무와 역할을 충실히 했다. 나에게 감사의 말을 자주 해야겠다.

지금도 보글보글 끓는 온천지대는 천연 온천으로, 피부 미용과 건강에 좋은 것으로 알려져 있다. 백두산의 작은 호수로, 불리는 소천지는 맑고 푸른 물빛이 아름다웠다. 녹연담은 백두산의 습지로, 다양한 식물과 동물이 서식하고 있었는데 다람쥐가 사람과 가까이 편안하게 지내는 모습을 한참 동안 볼 수 있었다. 자연환경 보호가 잘된 곳 공기도 신선하고 컨디션도 좋았다.

버킷리스트 꿈 이루는 백두산 천지

등산과 트레킹 코스

백두산은 등산과 트레킹을 즐기기에 최적의 장소이다. 다양한 난이도의 등산로와 트레킹 코스를 제공하여 방문자들이 자신에게 적합한 활동을 선택할 수 있다. 백두산을 등반하면 자연과 어울린 특별한 경험을 할 수 있다.

가장 유명한 코스 중 하나는 천지다. 이 코스는 백두산 정상을 향해 오르는 가장 일반적인 루트로, 경험이 없는 초보자부터 숙련된 등산객까지 모두에게 적합하다. 천지 코스를 따라가면, 백두산의 아름다운 풍경을 감상하면서 정상을 향해 오를 수 있다.

도전적인 경험을 원한다면 두루미 코스를 선택할 수 있다. 이 코스는 백두산의 다양한 지형을 탐험하며, 자연의 아름다움을 누릴 수 있는 기회를 제공한다. 특히, 봄에는 두루미 코스에서 다양한 야생화를 볼 수 있으며, 가을에는 단풍 숲을 즐길 수 있다.

트레킹을 즐기는 이들에게는 다양한 코스가 마련되어 있다. 자연경관을 체험하면서 걷는 것은 특별한 경험이며, 다양한 동물과 식물을 만나볼 수 있다. 등산과 트레킹 코스는 자연을 느끼며 특별한 경험을 즐길 수 있는 기회를 제공한다. 이를 통해 백두산의 아름다움과 다양성을 더욱 깊이 이해하고, 특별한 순간을 만끽할 수 있을 것이다.

여행 후의 변화와 영감

여행은 백두산을 만끽하는 것뿐만 아니라, 우리 자신에게도 큰 영감과 변화를 불러온다. 백두산에서의 여행은 우리의 내면과 외면에 긍정적인 영향을 미친다. 백두산 자연은 우리에게 겸손함을 가르쳐준다. 그 높은 봉우리와 깨끗한 공기 앞에서, 우리는 작고 연약함을 느낄 수 있다.

이 경험은 자연에 대한 더 깊은 존경과 감사함으로 이어진다. 또한, 백두산에서의 여행은 우리의 모험 정신을 자극한다. 새로운 경험과 도전은 더욱 열정적인 삶을 살도록 만든다. 자신의 한계를 허물고, 더 넓은 세계를 탐험하고자 하는 욕구를 일으킨다. 아름다운 산세와 자연경관을 선물한다. 백두산으로의 여행은 드라마 같은 이야기를 품고 있다. 이 책은 그 독특한 여행의 영감과 변화에 대해 다룬다.

마치 한 편의 드라마를 보는 것 같다. 시작부터 끝까지 긴장과 감동의 순간이 가득하다. 높은 봉우리를 오르는 순간, 아름다움에 감탄하며 자연의 품에 안겨있는 듯한 기분이 든다. 함께 도보 여행하는 동행자들과의 대화, 그리고 현지 문화를 체험하는 모든 순간이 여행 여정 드라마에 포함된다. 여행은 시각을 확장시키고 새로운 경험을 제공한다.

여행 후, 백두산에서 얻은 경험과 영감을 일상에 적용한다. 자연과 조화롭게 살아가는 풍요로운 삶은 백두산 여행의 선물이다. 환경 보호에 관심을 가지고, 자연과 조화롭게 살아갈 것이다. 이 책을 쓰면서 백두산의 드라마 같은 여행을 떠올리게 된다. 일상의 기쁨은 백두산 여행의 진정한 영감과 변화이며, 여행 조각들을 삶의 한 부분 드라마로 엮어서 풍요로운 인생을 살아갈 것이다. 백두산은 한반도의 자연, 역사, 문화가 깊이 담긴 신성한 산으로, 여행자들에게 새로운 도전과 경험을 선사하는 완벽한 여행지이다.

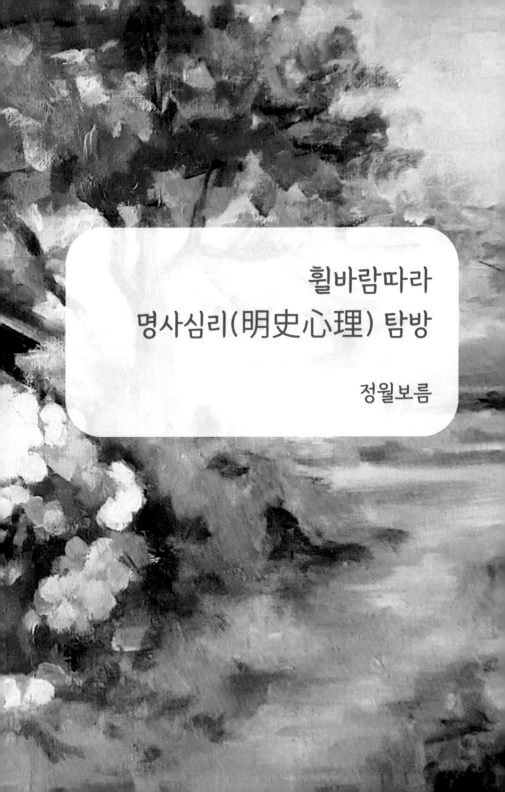

휠바람따라
명사심리(明史心理) 탐방

정월보름

휠 바람 따라 봉은사 탐방
나를 찾는 도심 속 천년 고찰

여행을 시작하는 데도 용기가 필요하다. 장애인 노인 영유아 동반 가족 등 무장애 여행객은 더욱 그렇다. 무장애 여행은 물리적 접근성, 정보 접근성, 서비스 접근성까지 장벽 없는 여행을 추구한다. 이런 접근이 되어야 휠체어 탄 장애인 등 관광약자에게 접근가능한 여행의 필수 조건이 되기 때문이다. 나도 휠체어를 타고부터 여행 방법이 달라졌다. 매번 새롭게 용기를 내고 새로운 인생의 드라마를 쓰며 생생한 여행을 하기 때문이다.

요즘 백세시대라고 말들 하지만 신체적 손상이 기본값으로 설정된 장애인에게 백 세까지 살 수 있을지 의문이 든다. 장애인은 80세를 살면 장수하는 삶이라고 얘기한다. 그래서 내 인생을 8부작 대하드라마라고 생각했다. 대부분 대하드라마는 3부쯤 되면 흥미진진해지고 주인공이 본격적으로 활약하기 시작하는 시점이다. 이때부터 주인공 눈빛이 빛나고 무엇을 욕망하고 있는지 보여 주기 시작한다. 내 인생 드라마 주인공 나도 꼭 해 보고 싶은 꿈이 있다. 꿈은 나를 설레게 하고 역동적으로 살아가게 한다. 여행은 내게 꿈을 꾸게 하고 가슴 뛰게 하는 원천이다. 다양한 여행 테마가 있지만 사찰 여행은 유독 마음도 가고 편안해진다. 느리게 거닐며 나를 돌아보게 하는 산사 여행. 산사 여행은 나를 찾아 떠나는 여정이기도 하다.

그렇게 시작한 산사 여행. 빌딩 숲으로 가득한 강남 한복판에 봉은사가 있다. 봉은사는 소음으로 가득한 도심에 고요한 공간이다. 끊임없는 개발로 이루어진 강남은 부를 상징하는 곳이고 강남 스타일로 대변하는 문화 창출의 메카이다. 그 변화와 역동의 중심에서 천년의 시간을 붙잡고 있는 도심 속 사찰 봉은사가 있다. 봉은사는 접근성이 무난해 장애인 노인 외국인 등즐겨 찾는 사찰이다. 지하철 9호선 봉은사역에 내려 엘리베이터 타고 7번 출구 방향으로 나오면 봉은사와 만난다. 도로변에 위치해 무심히 지나치기 쉽지만 입구로 들어서면 서래원이 먼저 보인다.

서래원은 불교용품을 판매하는 곳으로 문턱이 없어 휠체어 탄 나도 쉽게 진입할 수 있다. 서래원에 들러 이것저것 불교용품을 만지작거리다 나무로 만든 수저 셋트를 사고 나왔다. 바로 옆 카페 여여에서는 달달하고 부드러운 커피향이 가는 길을 막아선다. 어찌 참새가 방앗간을 그냥 지나칠 수 있을까. 초코머핀과 소보로 빵, 카푸치노 한잔에 시공간을 초월하는 여유를 즐겨 본다.

커피와 산사의 풍경은 제법 잘 어울린다. 커피가 대중화된 것은 짧은 시간이지만 대한제국 시절 고종황제가 마시기 시작하면서 백여 년의 세월이 흘렀다. 봉은사에서 마신 커피는 천 년 전부터 있었던 것처럼 합이 잘 맞는다. 서래원 한쪽은 공양간이기도 하다. 잔치국수와 메밀, 순두부 등으로 점심과 저녁 공양할 수 있다. 서래원을 나와 발길을 옮겨갔다.

봉은사 흙길은 휠체어 탄 내게도 안전하게 걷기 편하다. 흙냄새가 휠 바람을 타고 코끝에 전해진다. 그리고 보면 휠체어 타기 전 두발로 걸을 때와 휠체어 타고 네 바퀴로 걷는 것은 차이가 그닥 크지 않다. 오히려 휠체어를 타고 여행하면 훨씬 더 멀리 가고 자세히 볼 수 있어 장점도 많다. 휠체어는 배터리 동력으로 움직인다. 내 휠체어에 장착된 배터리는 30킬로미터는 무리 없이 이동한다. 휠체어 타고 천천히 걷다 보니 부도탑비가 여러 모양으로 기립하고 있다.

부도의 주인공이 누구인지 알 수 없지만 합장하여 극락왕생하시길 빌어준다. 다시 길을 따라 걷다 보니 법왕루에 이르고 오른쪽엔 해우소가 있다. 장애인 화장실이라는 표시는 없지만 안으로 들어가면 넓은 공간에 모두 사용가능한 장애인 화장실(다목적)이 있어 몸과 마음이 가벼워진다. 먹는 것도 중요하지만 비우는 것도 중요하다. 휠체어 탄 장애인 등 관광 약자는 편의시설이 갖추어진 해우소가 중요하다. 비울 수 없는 여행은 불안과 초조함으로 여행의 질을 떨어뜨린다.

발길을 돌려 부처님과 만날 수 있는 대웅전으로 간다. 그런데 대웅전은 계단이 많다. 경계 긋고 있는 계단 때문에 대웅전 안으로 진입할 수 없어 부처님도 뵐 수 없다. 세월 흘러 변하지 않은 것 그리고 넘지 못하는 계단뿐이던가. 사회 곳곳 보이지 않는 경계가 지천이다. 성별이 달라서 피부색이 달라서 휠체어를 타서 가난해서 학벌이 달라서 지역이 달라서 나라가 달라서 등 다양한 경계를 긋고 밀어내는 사람과 밀려지는 사람이 있다. 함께 살아가려 애쓰는 내게 봉은사는 위로를 건넨다. '괜찮아 잘살고 있어'….!

〈봉은사 흙길〉

휠 바람 따라 도선사 탐방
도선사에서 마주하는 것들

느린 여행의 묘미를 느끼려 천천히 걷는다. 휠체어를 타고부터 느리게 걷는 것에 익숙해지고 더욱이 많이 걸어도 힘들지 않아 좋다. 느리게 천천히 걷다 보면 보이지 않던 자연의 움직임이 미세하게 보이기 시작한다. 그냥 지나칠 수 있었던 작은 세상을 관찰하게 되고 자연이 주는 기운을 온몸으로 받아들여지기도 한다. 사찰 여행을 할 때도 그렇다. 귀는 더 크게 열리고 눈은 감아도 보이는 것 같다. 마음은 진공 속으로 빠져들어 내가 무엇을 원하는지 집중하게 된다. 온몸 감각이 깨어나기도 한다. 그래서 사찰 여행이 좋다.

삼각산 위치한 도선사로 향한다. 우이신설경전철 북한산 우이역 2번 출구로 나와 도선사 셔틀버스를 이용하면 된다. 하지만 장애인 콜택시를 타고 도선사 입구까지 올라가서 내렸다. 장애인 콜택시에서 내려 자비문과 천지문에 들어서니 노인들을 흔히 마주한다. 어떤 이는 가족의 부축을 받고 어떤 이는 계단 난간을 부여잡고 부처님을 만나러 고행길 마다하지 않고 오르고 또 오른다. 젊은 날엔 훨훨 날아다녔을 길이다. 나도 휠체어를 타기 전 계단쯤은 문제없이 다녔던 때가 있었다. 노인과 내가 다르지 않음을 계단 앞에서 직면한다. 세월 앞에 장사 없고 신체적 손상 있는 사람 앞에 장벽은 없어야 한다. 노인은 노송처럼 굽은 허리를 지팡이에 의지해 느린 걸음 재촉한다.

휠바람 따라 걷다 보면 자비문 지나 2백 미터쯤 불이문과 천지문에 어느새 와있다. 불이문 앞에 멈춰서 있는 내게 부처님은 속삭이듯 말한다. 일체만물이 둘이 아니다. 부처님 말이 귓속에서 맴돌고 고개를 들어보니 진달래와 개나리 사이로 배가 불룩한 포대화상이 나를 보고 웃는다. 포대화상은 금복주 소주병에 있는 그림처럼 생겼다. 어쩌면 금복주 소주회사에서 포대화상을 상표화한것일까. 포대화상은 커다란 자루 속에 번뇌를 담아 가지고 다녔다고 한다. 21세기 오늘날 포대화상이 산다면 배낭에 김밥과 에너지바, 소금, 오이를 넣어 둘러메고 양손에 등산 스틱을 짚으며, 삼각산에 올라 즉문즉설 할 듯싶다.

포대화상 뒤로하고 대웅전으로 발길을 돌린다. 대웅전으로 가는 길은 아스팔트다. 하지만 차도와 보도 구분 없이 주행 중인 차량과 마주칠 때면 아찔한 상황이 벌어지기도 한다. 어디서든 안전이 가장 중요하다. 장애인 노인 등 보행약자가 자주 찾는 곳이면 더욱 안전에 신경 써야 한다. 천천히 걷다가 청동지장보살상에 멈춰섰다. 지장보살 앞에 합장하여 인사드리는 사람들이 있다. 조금 더 오르면 사리탑과 삼천지장보살상이 있는 곳이 나온다. 이곳은 108개의 높은 계단을 올라가야지만 사리탑과 지장보살상을 볼 수 있는 곳이다. 휠체어 탄 난 계단과 상극이어서 아쉽지만 패스다. 익숙하지만 낯설게 느껴지는 높은 계단 앞에서 일체 모든 만물은 둘이 아니다를 다시 생각해 보지만 산사를 찾는 이들 중에는 휠체어 탄 장애인과 고령인이 많으니 계단 옆에 경사길을 만들면 부처님 또한 흐뭇하실 것 같다.

도선사도 식후경. 공양간은 오전11시가 지나면 무료 공양을 시작해 누구나 점심 한 끼 배부르게 먹을 수 있다. 비빔밥과 콩나물국이 전부지만 산해진미 부럽지 않다. 한 그릇 뚝딱 감사히 먹고 공양 보시를 하고 나니 마음이 넉넉해진다. 호국참회원으로 발길을 옮기기 위해 엘리베이터가 있는 곳으로 다가섰다. 엘리베이터를 타려는 노인들이 길게 줄 서서 차례가 오길 기다린다. 유아차 탄 아이와 가족도 함께 있다. 휠체어 탄 내가 줄을 서니 모두 먼저 타라고 양보해 주어 감사의 눈인사를 보낸다. 절간에도 편의시설을 갖춘 사찰이 늘고 있어 고령 사회를 실감케 한다. 물론 젊은 사람에게도 편의시설은 더할 나위 없이 편리하다.

호국참회원에 올라오면 반야굴 석상을 마주한다. 이곳은 초와 향으로 마음을 드리려는 참배객이 많다. 반야굴 앞에는 2백여년 된 보리수가 담황색 꽃을 피우고 상춘객 마음을 설레게 한다. 부처님이 깨달음 얻은 보수리 나무 아래 앉으면 나도 깨달음을 얻을 수 있을까. 모든 중생은 이미 부처라고 했으니 마음 먼저 부처를 만난다. 보리수 바로 옆 십이지신이 새겨져 있는 일심광명각 주위를 맴돌며 복 비는 사람들로 붐빈다. 나도 그들처럼 복을 빌어본다. 만사형통하게 하소서.

휠 바람 따라 진관사 탐방
나를 찾아 떠나는 마음 정원

연신내역에서 내려 휠 바람 따라 4.1km 걸으면 진관사가 있다. 카카오 맵 켜고 자전거 도로안내 따로 걸어도 좋은 길이다. 따사로운 봄햇살에 기분 상쾌하고 마음도 깃털처럼 가볍다. 자전거가 달리면 휠체어도 달린다. 휠체어로 걷는 게 귀찮다 싶으면 장콜(장애인 콜택시)을 이용해 진관사 주차장에 내려도 된다.

진관사 일주문에 들어서니 넓은 길이 한눈에 들어온다. 휠 따라 걷다 보니 진달래가 수줍은 듯 반갑게 인사한다. 극락교를 건너 해탈문을 지나면 늘 깨어 있으라는 글귀가 눈에 띄는 보현원 안으로 들어갔다. 보현원은 찻집이다. 마당 안쪽 자리 잡고 팥죽과 쌍화차를 시켰다. 보현원에서 내어준 음식은 허전한 뱃속 따듯하게 채워 준다. 옆 테이블에서 노인과 딸로 보이는 사람이 정겹게 대화를 나눈다. 노인 얼굴 깊이 파인 주름이 긴 세월 느껴지게 한다. 노인은 치매로 요양원 생활하는 듯했다. 봄이 되어 딸과 함께 노인이 다녔던 이곳 진관사에 나들이 온 모양이다. 다정해 보인다. 딸은 어디론가 전화를 걸어 연신 대화를 주고받으며, 이내 영상통화를 한다. 수동휠체어에 앉은 노인은 "이젠 얼마 남지 않은 듯싶구나"라며 고개를 젓는다. 그 말은 들은 딸은 "그런 말 하면 안 돼"라며 노인의 손을 꼭 잡고 걱정 섞인 역정을 낸다. 그들의 대화를 듣고 있으니 오래 사는 것이 축복인지 재앙인지 모르겠다. 제대로 된 돌봄이 있으면 축복이고 돌봄이 없으면 재앙 같다.

　장애인도 마찬가지다. 장애인의 일상을 지원하는 돌봄 제도가 없었다면 열악한 수용시설에서 지금도 집단생활을 하며 수동적인 삶을 살고 있을 것 같다. 노인도 마찬가지다. 돌봄 제도 공백으로 요양시설에서 삶을 마감해야 하는 노인이 늘어가고 있다. 누구나 자신이 생활하는 익숙한 집에서 노년을 보내며 죽음을 맞고 싶지 않을까.

　보현원을 뒤로하고 세심교를 건너 함월당으로 향했다. 달을 품은 함월당은 지혜의 상징인 문수보살이 봉안되어 있다. 이곳은 템플스테이 장소이기도 하다. 하지만 휠체어 사용인이 넘을 수 없는 마루가 있어 체험도 불가능하다. 삶의 쉼표가 되는 템플스테이도 열린 공간으로 거듭나길 간절히 희망해 본다. 불교 가치가 어우러져 지친 몸과 마음이 쉬어갈 수 있는 사찰 여행. 사찰은 비움이 무엇인지 가르쳐 주는 곳이다. 자신을 차분히 되돌아보고 역사의 숨결과 전통문화의 멋 생명력을 새롭게 인식하는 계기가 된다. 그래서 천년고찰이 좋다.

　함월당에서 나와 홍제루로 향한다. 경사도가 있는 길이라 동행인의 도움이 필요 하다. 홍제루엔 수동휠체어가 배치 되어있어 필요한 사람들은 사용 가능 하다. 길 따라 조금 더 오르면 적묵당과 교육원이 나온다. 적묵당 건물은 근사한 자태를 뽐내듯 자랑한다. 여행객들은 정묵당을 배경으로 신이나 연신 휴대폰으로 사진을 찍는다. 여행은 누구에게나 열려 있어야 한다. 여행이 주는 행복은 돈 주고 사는 행복한 고행이기도 하다. 여행은 지금 여기서 행복해야 하기 때문이다.

명부전으로 이동했다. 명부전은 저승세계 명부 상징하는 곳이다. 명부전엔 지금 누구의 명부가 적혀 있을까? 불교는 지옥에 있는 죄인을 위해 종을 치기도 한다. 모든 사람이 죽어서도 지옥으로 떨어지는 이 없이 극락왕생하길 기도해 본다. 대웅전으로 발길을 옮겼다. 오월에 있을 부천님 오신날 대비해 대웅전 앞은 연등 판매와 무대 설치로 분주하다. 대웅전을 뒤로하고 향적당으로 갔다. 향적당은 사찰음식 체험관이다. 넓적한 장독대 위 항아리가 가지런히 놓여 있다. 항아리 속 한가득 발효음식은 시간 바람과 햇살이 하나 되면 맛있게 익어간다. 게다가 사람 손맛과 정성을 더하면 기막힌 양념으로 음식의 맛을 결정한다. 사찰음식은 채식주의자들에겐 안성맞춤이다. 어디 비건들에게만 좋을까. 건강식으로 사랑받는 사찰음식 먹고 나면 몸도 튼튼 마음도 튼튼하다. 모든 존재는 시공간상으로 연관되어 있다. 산사 여행은 시공간을 초월하는 배움의 여행, 비움으로 다시 채워지는 행복 여행이다.

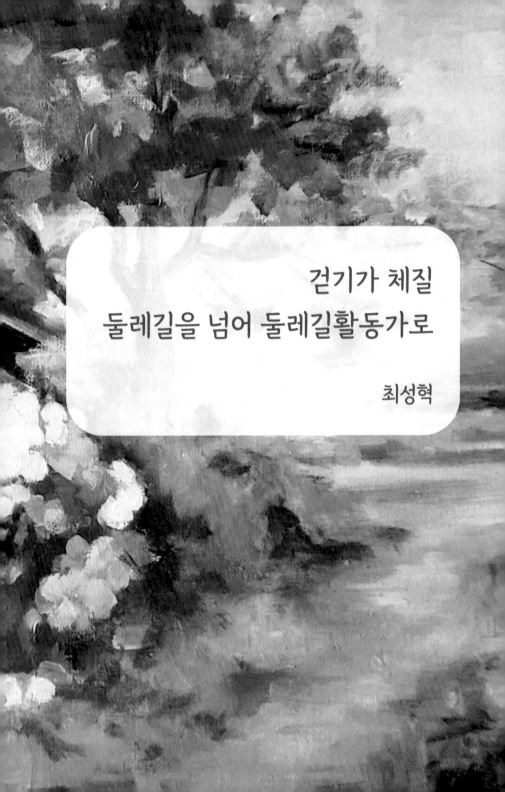

걷기가 체질
둘레길을 넘어 둘레길활동가로

최성혁

<둘레길 맛집, 서울둘레길에서 가장 전망이 뛰어난 용마-아차산 구간>

둘레길, 둘레길활동가

한국에는 산이 참 많다. 그 많은 산만큼이나 많은 둘레길이 있다. 현재 우리나라에는 500개가 넘는 걷기여행길이 있으며 세부 코스로 나누면 무려 2,000개가 넘는다. 둘레길은 산이나 강, 바다, 마을 주변을 따라 만들어진 산책로이자 걷기 여행길이다. 이러한 둘레길을 걷는 것은 몸과 마음을 건강하게 만들어주며, 자연의 아름다움을 느낄 수 있는 좋은 활동이다.

'둘레길 활동가'는 둘레길을 좋아하며, 둘레길을 걷는 것뿐만 아니라, 둘레길 주변에서 다양한 활동을 하는 사람을 말한다. 둘레길 활동가들은 둘레길을 통해 다양한 활동을 펼치며, 둘레길의 아름다움을 보존하고, 다른 사람들과 함께 나누는 역할을 한다. 이들은 둘레길을 통해 자연과 소통하며, 둘레길을 자주 찾는 사람들과 함께 소통하며, 둘레길의 매력을 널리 알린다. 이러한 둘레길 활동가들의 대표적 활동을 꼽는다면 여가 및 취미활동, 사회공헌 봉사활동, 일자리 활동이 있을 수 있다.

여가 취미 활동으로서의 둘레길 활동가들의 대표적인 활동은 '트래킹'이다. 산 정상으로 난 길을 오르는 수직적인 행위를 등산이라고 한다면 트래킹은 산의 둘레를 걷는 수평적인 행위라고 할 수 있겠다. 물론 오르막을 걷는 경우도 있다. 둘레길 활동가들은 기본적으로 둘레길을 걷는 것을 좋아하며, 둘레길을 걷는 것이 취미이자 특기라고 해도 좋을 것이다. 둘레길을 걷는 것은 자신의 몸과 마음을 건강하게 만들어주며, 스트레스를 해소할 수 있는 좋은 방법이다. 우리는 둘레길을 따라 트래킹을 하며, 둘레길의 아름다운 경치를 감상하고, 도시의 소음이 아닌 바람소리 물소리 등 자연의 소리와 향기를 느끼며, 몸과 마음을 힐링하는 시간을 가진다. 그리고 둘레길에서 사진과 영상을 찍으며, 둘레길의 아름다운 풍경과 자연을 기록하는 것도 좋은 여가 취미 활동이라 할 수 있다.

둘레길 활동가는 둘레길 주변에서 다양한 사회공헌 봉사활동을 할 수 있다. 둘레길 주변에서 쓰레기 등을 줍는 환경정화 활동이나 자연보호 활동을 하며 둘레길의 생태계를 보전하는 역할을 하기도 하며, 둘레길의 시설물과 탐방로 등의 상태를 모니터링하며 탐방로가 좋은 상태로 유지될 수 있도록 관리하는 일을 할 수 있다. 이러한 사회공헌 봉사활동은 둘레길을 더욱 아름답게 만들어 주며, 둘레길을 이용하는 사람들에게 좋은 탐방환경을 제공해 준다. 둘레길을 중심으로 이루어지는 사회봉사 활동 사례나 방법은 북한산국립공원, 서울둘레길, 한양도성 등의 홈페이지를 통하여 관련 정보를 얻을 수 있다.

둘레길 활동가는 둘레길 주변이나 둘레길을 통하여 수익을 만드는 일자리 활동도 가능하다. 일자리 활동으로는 숲길등산지도사, 둘레길 트레킹 및 해설여행가이드, 둘레길 관리자, 둘레길 카페 또는 식당 등 운영 등의 다양한 일을 생각할 수 있다. 숲길등산지도사는 안전한 걷기여행을 촉진하고 방문객들에게 필요한 지식과 기술을 제공하여 자연을 즐기면서 안전하게 활동할 수 있도록 도와준다. 둘레길 해설가이드는 둘레길을 찾는 사람들에게 둘레길에 대한 정보를 제공하고, 역사 문화 생태 등의 다양한 이야기를 전달하고, 둘레길의 아름다운 경치를 여행할 수 있도록 안내한다.

둘레길 관리자는 둘레길을 관리하며, 둘레길의 안전을 유지하고, 둘레길의 생태계를 보전한다. 둘레길에서 숙소, 식당 카페 등 운영자는 둘레길을 찾는 사람들에게 음료와 간식, 쉼터 등을 제공하며, 둘레길을 즐기는 동안 편안한 공간을 제공할 수도 있다. 이처럼 둘레길에서 일자리를 구하거나 새로운 일자리를 만드는 창업이나 창직을 할 수도 있을 것이다.

이처럼 둘레길 활동가는 다양한 활동을 통해 둘레길을 더욱 아름답게 만들어주고 보존하며, 둘레길을 이용하는 사람들에게 더욱 즐겁고 안전하게 둘레길을 즐길 수 있도록 좋은 여행 환경과 여행의 경험 및 아름다운 추억을 만들어준다.

'걷기가 체질'에서 '둘레길 활동가'로

나는 어릴 적부터 걷는 것을 좋아한 것 같다. 집 주변을 돌아다니거나, 학교까지 걸어가는 것, 그리고 산을 오르는 것까지. 걷는 것은 특별한 이유 없이 나에게는 큰 즐거움이었다. 그래서 나의 별명은 '걷기가 체질' '시부적시부적' 이었다. '시부적시부적'은 별로 힘들이지 않고 계속 가볍게 행동하는 모양을 나타내는 말이다. 하지만 학교를 졸업하고 성인이 되고 사회생활을 시작 후에는 바쁜 일상으로 인해 걷는 시간이 줄어들었다. 평범한 회사원으로 살아왔다. 매일 아침 출근버스나 지하철에 몸을 싣고, 하루 종일 책상에 앉아 일을 하고, 퇴근길 지하철에서 지친 몸을 기댄 채 집으로 돌아오는 것이 일상이었다. 대부분의 사람들처럼 그렇게 인생 일모작의 시간을 짓고 있었다.

하지만 퇴직을 앞두고 뭔가 막연한 불안감이 생겨났다. 그동안은 일이 삶을 지배하고 있었지만, 이제 그 일을 하지 못하고 할 일이 사라지면 어떻게 해야 할지 막막하게 여겨졌다.

<산림청 선정 100대 명산 인증샷>

　그러던 어느 날, 나는 우연히 '산림청 선정 100대 명산'이라는 것이 있다는 것을 알게 되었다. 그 후 등산에 꽂혀 100대 명산을 완등할 때까지는 둘레길은 안중에도 없었다. '산은 무조건 정상을 가야 하고, 정상에서 인증샷을 찍어야 하는 것이다'라고 너무도 당연하게 생각했었다. 지금 생각해 보면 부끄럽게도 둘레길을 우습게 생각했었다. 그러다 100대 명산을 완등하게 되었고, 그 후 한동안 산을 찾는 일은 많이 줄어들었다.

그리고 둘레길은 아예 갈 생각조차 하지도 않고 있었다. 그러던 어느 봄날, 나는 우연히 북한산 둘레길을 알게 되었다. 내가 살고 있는 아파트 뒤에서. 그냥 집 뒤에는 북한산 칼바위능선이 있다고만 생각했었다. 그런데 북한산 둘레길 4구간인 솔샘길 구간이 지나고 있었던 것이었다. 그곳에서 나는 새로운 묘한 기분 좋음을 느꼈다.

북한산 둘레길은 서울에 위치한 아름다운 둘레길로 도시의 번잡함과는 거리가 먼 자연의 평화로움을 느낄 수 있는 곳이었다. 나는 북한산 둘레길을 걸으면서 그곳에서 자연의 아름다움과 평화로움을 느낄 수 있었다.

그 후, 나는 둘레길을 자주 찾게 되며, 특히 서울에서 쉽게 접근할 수 있는 북한산 둘레길과 서울 둘레길, 그리고 한양도성 등을 자주 찾으며 활동을 하면서 서서히 둘레길 활동가가 되어가고 있었다. 결심했다. 둘레길에서 인생 제2막, 50+인생 후반전에서 할거리, 놀거리, 즐길거리를 찾아보기로. 목표를 세우고 관심을 가지니 예전에는 보이지 않고 들리지 않았던 많은 정보들이 눈에 들어오고 귀로 들려왔다. 북한산국립공원 시민대학이라든지 서울둘레길 아카데미 한양도성시민순성관 같은 다양한 활동 및 배울거리들이 쏙쏙 내게로 들어왔고 많은 도움을 주었다.

나는 둘레길 활동가로서 다양한 경험과 많은 활동을 했고, 다양한 사람들을 만났다. 둘레길을 걷는 사람들과 함께 이야기를 나누었고 둘레길을 주제로 하는 다양한 콘텐츠를 강의하고, 둘레길활동가 양성과정, 트레킹 프로그램 등을 진행했다. 또한 걷기 여행 길에서의 소소한 일상을 담은 유튜브, 인스타그램, 블로그 같은 SNS 활동도 하고 있다.

나는 둘레길 활동가로서 많은 것을 배웠다. 둘레길을 걸으면서 자연의 아름다움과 소중함을 느꼈고, 둘레길을 환경보호 활동을 하면서 환경보호의 중요성을 새삼 깨달았다. 또한, 둘레길 해설프 로그램 및 가이드 활동을 하면서, 다양한 사람들과 소통하고, 새 로운 경험과 지식을 쌓을 수 있었다.

지금도 나는 둘레길을 걷고, 둘레길 활동가로서 많은 일을 하고 있다. 둘레길을 걸으며 내 몸에 휴식을 주고, 둘레길 여행을 하고 싶어하는 분들과 함께 다양한 역사, 문화 생태 이야기가 있는 해 설프로그램도 진행한다. 또한 둘레길에서 활동하고 싶어 하시는 분들을 위한 '둘레길활동가 양성과정'도 수업 중이다.

걷기가 체질인 나에게 둘레길은 천국과도 같다. 둘레길은 나에 게 큰 선물이고 그리고 나는 앞으로도 둘레길을 걷고, 둘레길을 보호하며, 둘레길을 홍보할 것이다. 둘레길을 걸으며, 많은 것을 배우고, 많은 것을 느낄 것이다. 그리고 둘레길을 사랑할 것이다.

<성북50플러스센터 둘레길활동가 양성과정 프로그램>

둘레길 활동가, 새로운 가능성!

2007년 제주올레길을 시작으로 둘레길을 만드는 것이 유행처럼 번져서 전국에는 많은 걷기여행길이 만들어졌다. 그런데 일부 길들은 꾸준한 관리가 되지 않아서 흐지부지되거나 안전 문제 등의 우려할 만한 상황이 발생할 수 있음에도 별다른 대책을 세우지 않은 채 방치하는 등의 문제도 있으며, 목적성 없이 마구잡이식으로 아무 길이나 만들어서 코스가 지루하거나 개성이 없는 길이 만들어지는 경우도 허다하다.

현재 둘레길은 사람들에게 건강과 휴식을 제공하는 공간으로 자리 잡았다. 북한산둘레길, 서울둘레길, 한양도성은 가장 인기 있는 걷기여행길 들이다. 이 지역의 둘레길들은 산책로, 등산로, 문화유산탐방 등 다양한 활동 옵션을 제공하며, 많은 사람들이 이곳에서 활동, 휴식, 그리고 자기계발을 즐기고 있다.

둘레길은 단순히 산책로를 넘어 다양한 활동의 장으로 거듭나고 있으며, 이를 통해 둘레길 활동가라는 새로운 영역에서 활동하는 사람들이 생겨나고 있는 것이다.

둘레길 활동가들은 둘레길을 즐기는 것을 넘어 다양한 활동을 통해 새로운 가능성을 열어가고 있다. 취미와 여가 활동을 통해 개인의 건강과 행복을 증진시키고, 사회공헌 및 봉사활동을 통해 사회적 가치를 창출하며, 일자리 활동을 통해 지역 경제에 기여한다. 둘레길을 중심으로 한 이러한 활동들은 개인과 사회에 긍정적인 영향(Positive Influence)을 미치며, 더욱 풍요로운 삶을 만들어갈 수 있는 기회를 제공한다. 둘레길 활동가들의 열정과 노력을 통해 둘레길은 더욱 활기찬 공간으로 발전할 것이며, 우리 모두에게 새로운 가능성을 열어줄 것이다. 나는 이제 50+ 신중년으로서 그리고 둘레길활동가로서 새로운 삶을 살고 있다. 둘레길을 걸으면서 나의 삶을 더욱 풍요롭게 만들고, 다른 사람들과 함께 의미 있고 가치가 있는 행복한 삶을 살고 있다. 그리고 둘레길에서 활동가의 꿈을 이루기 위해 오늘도 걷는다.

에필로그 Epilogue

둘레길은 도시 생활 속에서 자연과 문화를 즐길 수 있는 소중한 공간입니다. 둘레길 활동가들은 다양한 활동들을 통해 둘레길을 더욱 풍요롭게 만듭니다. 그리고 이러한 활동가들은 자연보호와 문화 교류를 촉진하며, 지역 경제와 사회적 발전에 기여합니다. 둘레길 활동가들의 노력과 열정은 우리 모두에게 쉼과 활력을 만들어주며, 둘레길을 더욱 특별하게 만들어줍니다. 둘레길 활동가들은 다양한 활동을 통해 자신의 삶뿐만 아니라 함께 하는 모든 사람들의 삶도 더욱 풍부하게 만들어 지역 사회에 기여함과 아울러 더 나은 세상을 만들어가는 데 기여합니다. 지금도 둘레길에서 길을 찾고 있는 모든 활동가분들을 진심으로 응원합니다. 파이팅!

길을 걷는다는 것은?

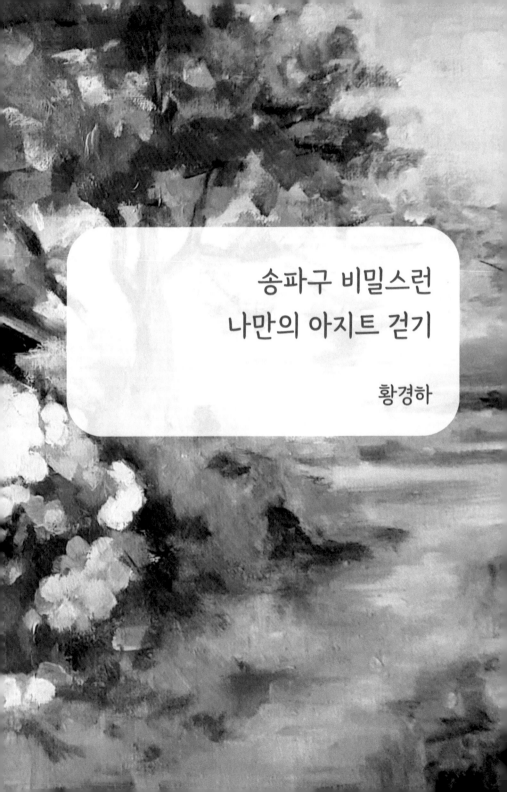

송파구 비밀스런
나만의 아지트 걷기

황경하

혼자 조용히 걷고 싶을 때 찾는 오금공원

결혼하면서 송파구에 신혼집을 얻었다. 송파구민으로 살아온 세월이 어느덧 30년이 되었다. 처음 결혼하면서 집을 얻을 때는 송파구에 이렇게까지 발전하지 않았다. 30년 전에는 송파구에서 집을 얻을 때 비싸지 않았다. 지금은 새로운 도시 같은 생각이 든다. 송파구에 살면서 다른 곳으로 이사할까 하는 생각도 했다. 다른 곳으로 이사 가려고 여기저기 다른 동네를 탐색하고 다녀봤다. 다른 동네는 송파구에 비해 대체로 집값이 저렴했다. 아이들과 상의했다. 다른 동네로 이사 가려고 하는데 의견이 어떤지 물었다. 아이들은 다른 곳으로 이사 가는 일을 반대했다. 학교 옮기는 게 싫고, 친한 친구들이 모두 송파구에서 살고 있는데 왜 이사 가야 하는지 이해할 수 없다고 했다.

아이들 의견도 중요했다. 다른 동네는 낯설고 정이 가지 않아 오랫동안 살고 익숙한 송파구에 계속 살게 되었다. 나는 송파구가 좋다. 송파구는 나중에 만들어진 신도시다. 도로가 넓고 녹지 공원이 많은 곳이라 사람 살기가 아주 편안한 동네. 아이들을 키우면서 고등학교까지 모두 송파구에서 졸업했다. 아이들 친구들은 학년이 올라가면서 한 명 두 명씩 다른 동네로 이사했다. 아이들 친한 친구 몇 명은 아직도 송파구에 같이 살고 있다. 가끔 만나서 옛날이야기를 나누곤 한다.

송파구에는 공원 조성이 잘 되어있다. 혼자서 조용히 걷고 싶을 때, 고독을 즐기고 싶을 때, 찾는 내가 제일 좋아하는 오금공원이 있다. 집에서 가깝다. 오금공원은 크지는 않지만, 사계절 갈 때마다 다른 색 옷을 갈아입는다. 봄에 찾아가면 주변은 온통 노란색 개나리꽃이 흐드러지게 피어 있다. 활짝 웃으며 먼저 나를 반겨준다. 하얀 목련, 벚꽃이 활짝 피면서 바람에 꽃비가 날린다. 벚꽃이 지고 나면 철쭉이 피는 5월이 온다. 오금공원은 한쪽 면이 철쭉꽃으로 조성되어 있다. 철쭉꽃이 피면 온통 분홍빛으로 물든다. 오금공원은 여름에는 나무 그늘로 우거져 도심 속에서 시원함을 느낄 수 있다. 오금공원은 송파도서관 있는 쪽부터 계단을 조금 올라가면 둘레 길로 되어있는 길이 나온다.

계단을 올라 둘레길을 걷기 시작한다. 누구의 방해도 받지 않고 조용히 자연의 소리에 귀 기울이며 걷는다. 처음에는 새소리가 들리다. 둘레길을 걷다 보면 여러 갈래 길이 나온다. 내가 가장 좋아하는 길은 맨발로 걷는 길이 나온다. 공원에 가면 맨발로 걷는 사람들이 많다. 맨발로 걸으며 나를 돌아보게 된다. 사색을 할 수 있는 시간이 된다. 맨발로 처음 걸을 때는 발이 아팠다. 하지만, 여러 번 걷다 보니 몸이 시원해지고 건강해지는 생각이 들었다. 숲속을 걷다 보면 가끔 청설모, 다람쥐를 만나는 경우가 있다. 그러면 휴대폰으로 빨리 청설모, 다람쥐를 찍어 본다.

공원 정상에 올라가면 송파구를 한눈에 볼 수 있는 전경이 펼쳐진다. 다른 사람들은 맛있는 도시락, 간식을 가지고 친구들과 나들이처럼 찾아온다. 앉아서 이야기를 나누고 간단한 간식을 먹을 수 있는 의자와 테이블이 있다. 나는 가끔 시원한 그늘에 앉아서 책을 읽고 내려온다. 그늘에 앉아서 책을 읽으면 신선놀음이 따로 없다. 멀리 가지 않아도 여기가 천국이다.

오금공원 중간쯤 걷다 보면 오금동 유래비라고 쓰여있는 큰 비석을 만날 수 있다.

오금동 유래는 오랜 옛날 자생하는 오동나무 군락을 이룬 이 고장에 거문고를 만드는 장인이 많이 살았는데 오동나무 (梧)자와 거문고 (琴)자를 따서 오금리라 불렸다는 설이 있다. 1636년 병자호란 때 인조 임금이 남한산성으로 피난 가던 중 신하에게 백토고개에서 오금이 저리니 쉬어가자고 한데서 (오금)을 따서 오금리라 불렸다는 두 가지 설이 있다. 오금동 유래비를 읽으면서 예전에 영화에서 보았던 인조 임금이 남한산성으로 피난 가던 길이 생각났다.

여행은 멀리 가지 않아도 주변을 돌아보면 여행처럼 즐길 수 있는 곳이 있다. 생활에서 여유를 가지고 싶다면 동네 산책할 수 있는 공원을 둘러보자

역사와 문화가 살아 숨 쉬는 올림픽공원

　서울의 대표공원이 송파구에 있다. 바로 올림픽 공원이다. 도심 속에서 사계절 아름다움을 느낄 수 있는 곳이다. 가까운 곳에 있어 가끔은 잊고 살 때가 많다. 올림픽 공원 서울에서 손꼽히는 녹지 공원으로 86 아시안 게임과 88 서울 올림픽 대회 개최를 기념하기 위하여 조성되었다. 올림픽 공원은 여가와 문화를 동시에 즐길 수 있고, 세계적 수준의 문화예술이 있는 올림픽공원에서 삶의 여유를 찾을 수 있다.

가까운 도심 속에서 문화생활을 즐겨봐!

　올림픽공원은 아이들이 어릴 때부터 다녔다. 아이들이 어릴 때는 어린이 연극을 봤다. 아이들 친구 엄마와 같이 돗자리 들고 나들이 삼아 갔다. 연극을 보고 시원한 나무 그늘에 자리를 잡고 준비해간 간식을 같이 먹으면서 놀았다. 집에서 가깝고 자유롭게 아이들이 뛰어놀 수 있기 때문이다. 봄에 가면 여러 가지 꽃들을 감상할 수 있고, 장소가 넓어서 다른 사람의 방해를 받지 않는다. 장미정원에서는 여름에는 장미꽃 축제가 열린다. 세계 여러 나라의 장미꽃, 평소에 볼 수 없는 여러 색깔 장미꽃을 볼 수 있다. 가을에 단풍 구경 갔는데, 우연히 호수가 야외 음악회가 열리고 있었다. 가을 호숫가에서 아름다운 클래식 선율에 귀가 호강한다.

가을에 가면 볼거리가 많다. 올림픽공원에서 한성백제 문화제가 열리기도 한다. 한성백제 문화제는 화려한 개막식과 여러 가지 공연이 펼쳐진다. 서울 한복판에서 열리는 큰 축제다. 개막식을 알리는 화려한 불꽃, 신명 나는 음악을 들으며 밤새는 줄 모르고 즐길 수 있다. 볼거리, 먹을거리를 즐길 수 있다.

지금은 가끔 혼자 갈 때도 있고, 친구나 아는 지인들과 같이 둘레길을 걸으며 수다를 떨며 놀고 있다. 가을에 오면 형형색색 단풍나무로 옷을 갈아입는다. 나는 가을이 제일 좋다. 여행한다고 멀리 가지 않아도 가까운 곳에 자연과 함께 걷기만 해도 힐링이 된다. 걷기를 하면서 다양한 야외 조각상을 감상할 수 있다.

올림픽 공원에는 또 다른 재미를 느낄 수 있다. 올림픽 공원을 상징하는 9경이 있다. 올림픽 공원의 상징 세계 평화의 문이 1경이다. 평화의 광장에는 고구려 고분벽화에 나오는 수렵도의 무늬가 새겨져 있다. 2경은 엄지손가락이다. 올림픽공원 하면 제일 먼저 떠오르는 엄지손가락이다. 3경은 몽촌해자 음악분수다. 분수대에서 음악이 나오면서 가던 길 멈추게 한다. 4경은 대화다. 산수유나무 아래 돌로 만들어진 조각상이다. 서로 마주 보고 대화를 나누고 있다. 5경은 몽촌토성 산책로다. 올림픽 공원은 산책로가 잘 되어있다.

　6경은 나 홀로 나무다. 나 홀로 나무는 올림픽 공원의 대표적인 명물로 알려져 있다. 가끔 드라마 촬영하는 아주 유명한 장소다. 끝없이 펼쳐진 잔디밭 한가운데 홀로 우뚝 서 있는 나무다. 주위에 아무런 나무가 없이 푸른 잔디 위에 홀로 서 있는 나 홀로 나무의 이국적인 풍경과 만나게 된다. 7경은 88 호수다. 날갯짓이라는 이름으로 바람에 따라 아름다운 경관을 자아내고 있다. 8경은 들꽃마루다. 들꽃마루는 꼭대기 혹은 최고를 뜻하는 순수 우리말로 들꽃마루는 다양한 종류의 들꽃들로 조성된 야생화 단지다. 철마다 다양한 꽃들을 감상할 수 있다. 9경은 장미정원이다. 장미정원은 올림픽 공원의 상징성을 살리기 위해 고대 올림픽과 근대 올림픽의 만남을 주제로 제우스 등 올림푸스 12신으로 명명한 12개의 장미화단으로 구성되어 있다.

역사가 살아 숨 쉬는 몽촌토성 둘레길 걷기

올림픽 공원에서 빠질 수 없는 곳이 몽촌토성이다. 역사책에 항상 등장한다. 아이들과 함께 갈 때는 몽촌토성을 보여주며 간단하게 설명해준다. 석기시대에 사람들이 어떻게 살았는지 볼 수 있는 유적지다. 몽촌토성은 한성백제 시대에 외부 침입에 대비하는 형태로 이루어져 있다. 몽촌토성은 백제의 첫 도읍지인 위례성의 소재를 밝히고 백제 초기 역사를 확인할 수 있는 중요한 곳이다. 송파구 도심 속의 산소 같은 존재인 공원이다.

주중에 바쁜 일상생활을 보내고, 주말에 마음의 여유를 찾고자 하는 사람들이 종종 이렇게 묻고 한다. 빡빡한 도심에서 정신없이 살다 보면 따로 시간을 내어 운동하는 것도, 주말마다 여행을 떠나는 것도 쉽지 않다. 그럴 때면 쉴 수 있고, 걷기 운동도 할 겸 주변의 가까운 공원에 나가 고독을 즐기며 자분자분 걸어 보는 것은 어떨까?

봄에 가장 아름다운 벚꽃길 석촌호수

송파구에서 가장 자랑할 만한 곳 석촌호수다. 석촌호수는 잠실에 있는데 도심 속에서 흔히 볼 수 없는 호수다. 석촌호수 둘레길에 봄에는 벚꽃길 펼쳐진다. 아름다운 벚꽃길을 구경하기 위해 찾아가는 곳이다. 봄은 재주가 많다. 멈추게 하고, 찾아오게 하고, 설레게 한다. 가을도 아름다운 곳이다. 가을에는 여름의 푸르름을 벗고, 붉은 가을로 물든다. 석촌호수는 유명해진 곳이라 외국 관광객들이 많이 찾는다. 올해 봄에도 떨어지는 꽃잎이 아쉬워 찾아갔다. 많은 사람이 찾아와 사진 한 장 찍기 힘들었다. 송파구에 아름다운 벚꽃 둘레길이 있는데 벚꽃을 구경하러 일부러 다른 곳에 가지 않아도 된다. 석촌호수 4계절은 언제나 아름답다.

석촌호숫가에 피어나는 벚꽃은 호수와 아주 잘 어우러지고, '예쁘다'라는 탄성이 저절로 나온다. 석촌호수 문화 실험공간 2층에는 실내 포토존이 마련되어 있다. 액자 뷰로 담을 수 있는 의자도 있고, 액자 뷰에서 사진을 찍으면 석촌호수 벚꽃까지 같이 찍을 수 있어 많은 사람이 줄 서서 사진을 찍는 곳이다.

　여행과 장소의 변화는 우리의 마음에 활력을 선사한다. 새로운 에너지를 주고 새로운 생각을 할 수 있게 한다. 일반적으로 '여행' 이라고 하면 지금 사는 곳을 벗어나 몇 날 며칠을 보내고 오는 것으로 생각한다. 누구나 여행을 통해서 몸과 마음에 휴식과 안정을 찾고 싶지만, 어디론가 멀리 떠나야 한다는 생각에 주저하게 된다. 시간과 경제적 사정 때문이다. 그렇다면 걷기 여행은 어떨까요? 둘레길 걷기 여행은 숲이나 도심의 정해진 코스를 따라 걸으며 자연을 즐기고 힐링을 찾을 수 있다. 걷다 보면 새로운 환경이 눈에 들어온다. 주변을 세밀하게 관찰하는 힘이 생긴다.

걷기 여행은 향이 좋은 차를 천천히 음미하며 마시듯, 자연과 함께 걸어가며 내면을 돌아보는 힐링 여행이다. 나른한 주말에 혼자 걸어도 좋고 친구나 연인의 손을 잡고 걸어도 좋다.

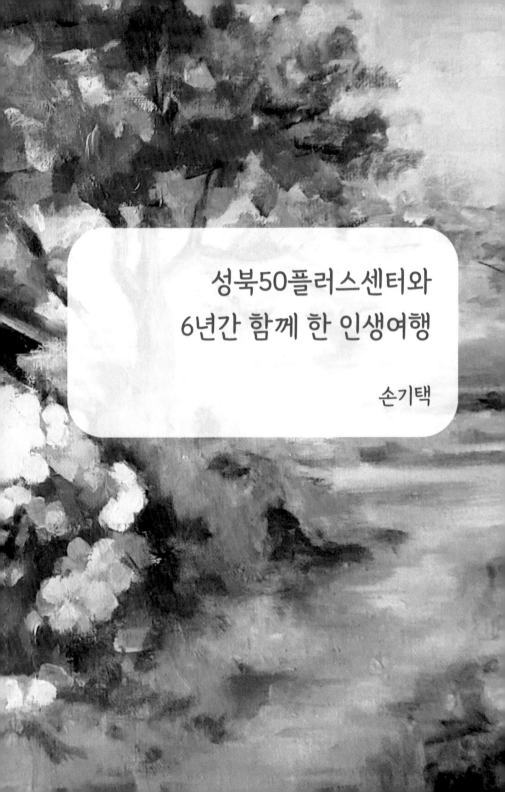

성북50플러스센터와
6년간 함께 한 인생여행

손기택

성북50플러스센터와 6년간 함께한 인생여행

우리에게 주어진 소중한 인생은 한마디로 정의하면 여행이다. 우리는 매일 하루하루 주어진 삶 속에 다양한 에피소드의 여행을 떠난다. 즉 하루의 시작이 여행이다. 매일 출근하는 일상도 소중한 여행이다, 여행의 설렘처럼, 직장에 출근하는 길도 여행처럼 설렌다. 출근길에 오늘 하루는 어떤 일이 생길지 기대된다. 나는 중장년 복지시설 '성북50플러스센터'에서 사회복지사로 근무하고 있다. 기관에서 만나는 중장년 세대 참여자 선생들과의 만남 속에서 다양한 여행(인생스토리)을 경험한다. 모든 사람들이 각자의 스토리가 있다. 참여자분들과의 대화를 통해 내가 직접 경험하지 못한 삶의 경험을 간접적으로 체험한다. 그 이야기는 참으로 재미있고 시간 가는 줄 모를 정도로 흥미롭다. 세상에 일어나는 모든 일들을 경험하면 좋겠지만, 한계가 있는 것은 분명하다. 그렇기 때문에 하루 동안 만나는 참여자분들을 통해 듣는 경험담과 인생 이야기는 나에게 큰 도움이 된다.

그렇게 나의 삶에 만족하면서 6년간 근무할 수 있었다. 그런데 영원할 것 같았고 영원하기를 희망했던 나의 성북50플러스센터를 이제는 떠나고자 한다.

갑작스럽게 진행된 인사 발령으로 정들었던 성북50플러스센터를 떠나 다른 행선지에서 5월 중순부터 근무하게 되었다. 섭섭하고 무척 아쉽다. 인생은 만남과 헤어짐의 연속이라고 하지만 그 아쉬움은 숨길 수가 없다. 세상을 살다보면 가장 소중한 부모와 배우자도 언제 가는 헤어짐이 생긴다. 영원한 관계는 없다. 만남과 헤어짐을 인정하는 게 우리의 삶이라고 생각한다. 6년간 성북50플러스센터의 삶을 회상했을 때, 가장 기억에 남는 건 도움을 주신 많은 분들이다. 근무하면서 좋은 분들을 많이 만났고, 많은 도움을 받았다. 그분들 덕분에 많은 추억과 좋은 기억들이 내 삶 속에 즐거움으로 자리 잡혀 있다. 함께 한 소중한 인연들을 잊지 않고 기억하고자 이 책에 함께 한순간을 기록으로 남기고자 한다.

2024년 5월 중순, 성북50플러스센터 개관 멤버로 6년간 근무했던 손기택PM은 갑작스럽게 떠나게 되었습니다. 한 분 한 분 만나서 상황 설명과 감사함을 표현할 수 있으면 좋겠지만, 인생의 모든 일들은 계획되지 않은 상태에서 일어나다 보니 현재 상황을 인정하면서 성북동 여행을 마무리하고자 합니다. 입사하여 많은 경험과 성과 그리고 많은 분들을 만나 참으로 행복한 생활을 했다고 생각합니다. 모두에게 중요한 시기였기에 함께 했던 순간들이 소중하고 감사하게 느껴집니다. 성북50플러스센터에서 소중한 추억을 만들게 해주신 함께 한 모든 분들에게 감사한 마음을 전합니다. 그동안 감사했습니다. 그리고 더 좋은 모습으로 다시 뵙겠습니다. 성북50플러스센터 개관멤버 손기택PM

손기택PM의 깐부프로젝트 '참좋은 당신'

인생여행 : 인생의 소중한 시간

홍보왕-지역 맛집 사장님의 특급레시...
숙 대표 / 딸기하우스-...

원데이 쿠킹클래스(빠에야와 상그...

왕-지역 맛집 사장님의 특급레시피-
표 / 엘마드레 - 클럽샌드위치와...